KB129011

1

BASA-ALSA와 함께하는

학습전략 프로그램 워크북

교사용 지침서

| 김동일 저 |

학지사

2014년 정부(교육부)의 재원으로 한국연구재단의 일반공동연구지원을 받아 수행된 연구임
(NRF-2014S1A5A2A03064945)

머리말

자기주도 학습자로 성장하기 위하여 학습전략은 초등학교 학생에게 필요한 능력이며, 자신이 스스로 깨우쳐야 할 기술로 여겨져 왔다. 학습전략의 결손으로 학업부적응을 보이는 학생이 증가하면서 이에 대한 교육적 요구가 점차 커지고, 이제는 혼자서 그냥 익혀야 할 기술이 아니라 체계적으로 가르치고 배워야 할 기초학습기능의 중요한 구성요소로서 관심이 높아지고 있다. 특히 학업 곤란도가 높아진 초등학교 3학년 이후 나타나는 학업 문제는 성적이나 평가뿐만 아니라 학생의 전반적인 자아개념, 대인관계, 가족관계, 인지 및 정서 발달 등 광범위한 영역에 영향을 주는 중요한 요인이다.

이 학습전략 프로그램 워크북[동기와 자아효능감, 자원관리전략, 인지전략, 초인지전략, (3학년 수준의) 교과 학습전략]은 아동의 학업 동기를 높이고, 적절한 학습방법 탐색의 기회를 제공함과 동시에 초등학교 교과서를 소재로 하여 학습자 맞춤형 학습전략을 개발하고 활용하도록 하는 데 목적이 있다.

이 워크북은 BASA(Basic Academic Skills Assessment: 기초학습기능 수행평가체제) 읽기, 수학, 쓰기 검사 결과에 따라 추가적인 개입이 필요한 초등학교 3학년 이상의 학습자를 대상으로 기초기능으로서의 학습기술에 초점을 맞추며, 또한 ALSA(Assessment of Learning Strategies for Adolescents: 청소년 학습전략검사)와 연계하여 학습전략을 정교화하고 풍부하게 활용할 수 있도록 구상되었다.

앞으로 교육현장에서 우리 아이들이 유능한 학습자로서 자신에게 적합한 학습방법을 적극적으로 탐색하기를 기대한다.

2015년 9월

SNU SERI

소장 김동일

차 례

BASA-ALSA와 함께하는

학습전략 프로그램 워크북 1

교사용 지침서

1. 학습전략 프로그램의 필요성
2. 학습문제에 관한 교육 현장의 인식
3. 학습부진
4. 학습장애
5. 중재반응모형
6. 학업문제를 보는 다양한 관점
7. 학습전략의 개관
8. 학습전략 프로그램의 구성

1 학습전략 프로그램의 필요성

학업문제 중에서 가장 두드러진 것은 학교 학습에 대한 부적응이다(김동일, 신을진, 이명경, 김형수, 2011). 학업에 어려움이 있는 학생은 자아존중감이 낮고, 주의가 산만하며, 학교생활에 재미를 못 느끼게 된다. 또한 경우에 따라서는 친구가 없고, 의욕도 없으며, 실패에 대한 두려움이 많은 학생으로 전락할 수 있다(김동일 외, 2011). 이러한 학업에 대한 부적응의 문제는 학생으로 하여금 사회정서적인 문제를 일으키는 원인이 된다. 학교에서의 학습문제는 학생에게는 자아존중감 및 자아효능감과 밀접한 관련을 맺고 있다. 즉, 학령기 학생의 심리적 적응에 학업이 미치는 영향이 크다는 것을 의미한다. 따라서 학업문제로 심리적 갈등과 관계의 어려움을 겪고 있는 학생에게 학습상담 프로그램은 적절한 도움을 제공할 수 있다.

학업문제 해결에서 중요한 점은 학습자에게 적절한 학습 환경을 제공하는 것이다. 학습자가 학습문제를 겪게 되는 원인과 이유는 학습자에 따라 천차만별이다. 그 원인과 이유는 뇌기능 손상에 따른 낮은 지능의 문제, 정서장애 등에 의한 학습결손, 각종 신체장애에 의한 누적된 학습결손 등 여러 면에서 생각해 볼 수 있다. 이렇게 다양한 원인에 의해서 학습에 문제를 겪는 학생에게는 개인의 필요에 따라 학습전략 프로그램을 제공함으로써 학습결손의 누적을 예방할 수 있으며, 학습자의 개별적 필요를 감안한 학습자의 자아존중감과 자아효능감을 높이고, 학교생활에 자신감을 고취시키는 역할을 할 수 있다.

2 학습문제에 관한 교육 현장의 인식

1) 학습부진에 대한 현직 초등학교 교사들의 인식

초등학생의 학업문제에 대한 교사의 인식은 본격적인 학교 학습을 시작하는 학습자의 향후 학습에 큰 영향을 미칠 수 있다. 따라서 현직 초등학교 교사들이 학습부진아의 일반적 특성에 대해 어떻게 인식하고 있고, 실제로 어떻게 지도하고 있으며, 효율적인 지도 방안에 관하여 어떠한 생각을 가지고 있는지 알아보는 것은 매우 중요하다.

이를 위하여 구진영(2007)의 연구에서는 초등학교 일반학급 교사 248명을 대상으로 설문조사를 실시하였다. 참여 교사들은 5년에서 21년 이상까지 교직 경력이 다양한 가운데 과반수가 11년 이상의 경력을 가지고 있었으며, 성별과 담당 학년별로 고루 분포되어 있었다. 설문조사 분석 결과를 정리하면 다음과 같다.

우선 초등학교 교사들은 학습부진이 일반적으로 주의산만, 학습습관 결여 등 성격적 요인에 의해 나타난다고 인식하고 있었는데, 특히 저학년 담임교사의 경우는 가정환경의 영향을 가장 큰 원인으로 지각하고 있었다. 학교환경 요인 중에서는 학급당 학생 수가 과밀하다는 점이 학습부진에 가장 큰 영향을 미친다고 응답하였으며, 고학년 담임교사일수록 과다한 학습내용의 영향도 크다고 인식하고 있었다. 학습부진을 그대로 방치할 경우 학습결손 누적으로 인한 학습의욕 상실, 성격 및 행동면에서의 부적응을 우려하는 목소리가 컸으며, 학습부진아 지도가 필요하다고 인식하는 교사가 99.2%에 달하였다. 그러나 지도 시 학습부진 해소가 가능한 학생과 그렇지 않은 학생이 있다고 인식하는 교사가 과반수였다. 특히 교직 경력이 5년 이하인 교사일수록 학습부진이 나아질 수 있다고 답하는 경향을 보였다.

다음으로 학습부진아 지도의 실제에 대한 설문조사 결과, 주로 담임교사가 학기초 또는 학년 초에 교육청 배부 판별도구나 국어와 수학 교과 성적을 근거로 하여 학습부진아를 판별하고 지도 계획을 수립하고 있었다. 또한 교사들의 응답에 따르면 한 학급마다 평균적으로 2명 정도의 학습부진아가 존재하는 것으로 나타났다. 대부분 학습부진아를 위해 계획된 지도방법보다는 교사 재량으로 지도하고 있다고 보고하였으며, 계획만 세우고 제대로 지도하지 못한다고 응답한 경우도 많았다. 주로 방과후에 남는 시간 틈틈이 개별지도식으로 학습부진아를 지도하고 있다고 응답하였다. 교사들은 많은 업무량과 부족한 시간 때문에 학습부진아 지도에 큰 어려움을 느낀다고 보고하였는데, 이러한 현실적 어려움으로 인하여 교사들의 인식과 지도 실제에 괴리가 발생하는 것으로 보인다.

학습부진아를 위한 효율적인 지도 방안에 대하여, 교사들은 기초학습 육성 및 학습기술과 태도 향상을 위한 보충교재를 학교나 전문가가 제작하여 보급하는 것이 바람직하다고 인식하고 있었다. 학습부진아에게 적합한 교재가 없어 기존 교과서를 사용하고 있는 실정에 변화가 필요하다고 본 것이다. 또한 담임교사가 학습부진아를 지도할 시간을 확보해 주어야 하며, 전문적인 학습부진아 지도교사를 양성하고, 학습부진아 지도용 자료 보급과 재정적 지원이 필요하다고 보고하였다.

2) 현장 교사들의 초점집단 인터뷰 결과

조사 방법: FGI(Focus Group Interview)

면담 대상자 정보

- 대상: 현직 교사
- 1차 인터뷰: 5명, 2차 인터뷰: 5명(총 10명)
- 교직 경력: 3~16년

주요 질문 내용

- 심각한 학습문제를 가진 학생을 지도해 본 경험이 있나요?
- 학습문제를 가진 학생을 떠올렸을 때 드는 느낌 혹은 인상은 무엇인가요?
- 학습문제를 가진 학생은 어떤 특성을 가지고 있나요?
- 학습부진 학생에게 어떤 도움을 주면 공부를 잘할 수 있었나요?
- 학교에서 이러한 학생을 지도할 때 겪었던 구조적 문제는 무엇이었나요?
- 학습문제를 가진 학생 중에서 지도에 수월함을 느끼는 학생들의 특징은 무엇인가요?
- 1:1 학습기술습득 프로그램 개발에 꼭 필요한 요소는 무엇인가요?

초점집단 인터뷰는 사전에 정리한 반구조화된 내용을 토대로 현직 교사들과 면담이 진행되었다. 면담 결과의 주요한 내용은 〈표 1-1〉, 〈표 1-2〉, 〈표 1-3〉과 같다.

〈표 1-1〉 학업문제를 지닌 학생 지도 시 겪었던 어려움

영 역	주요 내용
정서적 측면	• 학습 자체에 대해 방어적인 학생들을 보면 교사에 대한 태도 역시 방어적이라 정서적인 소진을 느낄 때가 있다. • 교과시간 이후에 학급에 남는 것은 학생 및 학부모 입장에서 낙인 효과가 있어 교사로서도 부담이 된다. • 반복적으로 노력함에도 진전을 보이지 않는 경우 교사로서 무력감을 느끼게 된다. • 학습문제를 겪는 학생에 대한 지도가 원활하지 않을 경우 그것을 교사 개인의 역량으로 평가받는다고 느낄 때 심리적 소진을 느낀다.
구조적 측면	• 일반교사 입장에서는 학습부진, 학습장애에 대한 명확한 진단 체계가 없기 때문에 겪는 혼란이 있다. • 일반학급 담임교사의 입장에서 학습문제를 겪는 학생에 대한 이해 부족에 따르는 어려움이 있다. • 부진 학생을 개인 지도하고 싶어도 학교 행정 업무가 많은 경우에 지도에 어려움을 겪는다.
관계적 측면	• 특수학급 교사와 일반학급 교사 간의 의사소통 부족으로 학생 지도 시 일관성과 연계성이 떨어지는 문제가 있다. • 교사의 노력에 대해 학생의 반응이 부정적일 때 인내심의 한계를 느끼고 지도에 어려움을 겪는다. • 교사와 학부모 간에 충분한 협의가 부족하여 학교와 가정의 공조가 이뤄지지 않을 때 학습 지도에 한계를 느낀다.

〈표 1-2〉 학업문제를 지닌 학생의 특징

영 역	주요 내용
정서적 측면	• 학년이 올라갈수록 학업문제가 더욱 쌓이기 때문에 위축되고 말을 안 하려고 하며, 주위로부터 학습에 대한 부정적인 피드백을 받게 되어 자신감이 없다. • 참을성이 없어 나중에 포기한다.

	• 지적, 심리적으로 문제가 있다. 기질적, 정서적으로 문제가 있다. • 지지를 받으면 자신감이 올라간다. • 부정적인 측면에서 보면 의지가 없다. 자기에게 재미있을 그림 자료가 제시되기 전까지 동기화가 없다. • 학습 동기 저조, 높은 학습무기력감, 낮은 성공 경험 그리고 낮은 자아효능감이 뿌리 깊게 박혀 있다. 교사 자극에 반응을 잘 하지 않는다. • 정서적 안정감이 매우 낮고, 학습문제의 누적으로 누가 대처해 주지 않으면 자연히 학급에서 소외가 된다.
인지적 측면	• 여러 번 반복해서 얘기해도 잊어버리니까, 받아들이는 정도가 다르고 지속적인 생각이 부족한 것 같다. • 학업적으로 보면, 주의집중력이 낮고 기억력이 많이 떨어지기 때문에 장기기억이나 기억력이 정말 짧다. 어휘력도 부족하여 반복이 필요하며, 어휘의 한정으로 다음 단계로 진전하지 못하고, 확장도 잘 안 된다. • 기초학습부진 학생들은 학습에 대한 문제가 누적되어 이차적인 문제를 보인다. • 지적 수준이 낮고 문해력이 낮아 읽고 이해하는 능력이 정말 떨어지는 학생들이 있다. 그래서 수학의 문장제 문제를 읽어도 이해를 못한다. • 글 읽기는 가능한데 이해를 못한다.
행동적 측면	• 스트레스를 받으면 눈을 깜박거린다. • 학습문제가 있는 경우에 비행문제를 같이 보였다. • 무기력해하는 모습을 보였다. • 참을성이 없어 쉽게 포기하고, 책상이 지저분하며, 질서가 잡혀 있지 않다. • 산만하고 주의집중력이 낮아 40분 동안 집중하지 못한다. 수업 내내 친구와 장난치고 돌아다니거나 충동적인 행동을 하며 친구들과 다툼이나 갈등도 많다. 또한 산만하고 즉흥적이며 인내심과 참을성이 부족하고 주의집중이 짧다. • 정리 정돈을 잘 못하며, 질서를 지키지 못한다. • 지시, 구조화, 시간표 등에 잘 따르지 못한다.

 〈표 1-3〉 **학습기술습득 프로그램에 반영되었으면 하는 내용**

영역	주요 내용
교사 또는 학생의 마음을 다루는 내용	• 변화가 없는 학생을 지도하다 보면 당연히 교사와 학생 모두 지칠 수 있다. 이러한 경우에 많은 스트레스를 받거나 죄책감을 가지게 되는데, 격려해 주는 내용이 담겼으면 한다. • 교사가 장기적인 안목을 가지고 학생이 변화할 수 있다는 신념을 가지는 것이 중요하다. • 학생이 1:1 프로그램을 받는 것을 부끄러워하지 않도록, 정서적 지지를 해 준다(예: 공부를 못해서 개별 지도를 받는다기보다는 공부를 좀 더 잘하기 위해 받는다는 등). • "공부를 못하는 것이 잘못된 것은 아니다."라는 긍정적 지지를 해 준다.
구체적인 실행 지침	• 프로그램을 사용하는 대상(교사, 상담자, 학부모 등)에 따라 지도안에 약간의 팁을 주는 것이 필요하다.
흥미 유발 요소	• 글씨나 그림, 표지 등이 학생의 흥미를 유발할 수 있게 구성하면 좋을 것 같다. • 학습전략과 관련된 다양한 자료, 가령 동영상이나 흥미 있는 활동으로 구성되면 좋을 것 같다.
개별화된 자료 구성	• 학생별로 특성이 달라서 자료를 그대로 쓸 수 있는 경우가 드물기 때문에 자료를 CD로 만들어서 개별화하여 교사들이 수정 후 사용할 수 있도록 하는 것이 필요하다.

3 학습부진*

1) 학습부진에 대한 탐색

학습부진은 통상적으로 개인이 특정한 영역에서 제대로 하지 못하거나 기대했던 것보다 잘하지 못할 때 포괄적 용어로 쓰인다. 그러나 실제로 그 정의를 합의하기란 쉽지 않으며, 학습부진이라는 용어만큼 여러 집단에서 다양한 의미를 지니는 것도

* 이 절은 김동일 외(2011)의 내용 일부를 요약 · 정리한 것임.

없다(김동일 외, 2011).

이렇게 명확하게 구분하기는 어렵지만, 용어의 의미를 더 정교하게 사용하기 위해 학습부진을 좁게 해석하여 다른 유사 개념과 변별적으로 사용하는 경우도 있다. 학습에 문제를 보이는 학생군은 상당히 이질적인 특징을 보이기 때문에 단순히 학업성취와 지능의 두 가지 측면에서 〈표 1-4〉와 같이 분류할 수 있다. 이러한 유사 집단은 환경적 변인에 영향을 받는 경우가 크지만, 학습장애는 환경적 요인과 타 장애 요인을 배제한 개인 내적 인지처리 과정상의 문제에 의해 학습에 문제를 초래한다.

 〈표 1-4〉 **학습부진과 유사한 개념**

명 칭	정 의
학습지진 (slow learner)	경계선급 경도장애로 하위 3~25%이며, 지능 수준은 약 75~90에 속한다.
학업저성취 (low achievement)	성취 수준을 집단별로 구분하면 하위 집단에 해당하며, 하위 5~20%의 성취 수준을 보이는 학생을 지칭할 때 사용된다.
학업지체 (academic retardation)	국가적 혹은 지역적으로 규정된 학년 및 학기의 학습목표를 달성하는 못하여 뒤처지는 상태를 말한다.
학습부진 (underachievement)	학업 영역에서 나타나는 성취 수준이 학생이 지닌 잠재적인 능력(지적 능력 수준)에 미치지 못하고 현격하게 뒤떨어지는 상태를 말한다.
학습장애 (learning disability)	정신지체, 정서장애, 환경적 · 문화적 결핍과는 관계없이 듣기, 말하기, 쓰기, 읽기 및 산수 능력을 습득하거나 활용하는 데 심한 어려움을 한 분야 이상에서 보이는 장애를 가진 경우를 말한다.

2) 학습부진의 특성

일반적으로 학습부진은 진단명(diagnosis)이 아니며 주관적인 판단이 개입되는 경우가 많다. 또한 학습부진 자체가 연구나 지도의 대상이 되는 것이 아니다. 학습부진은 그것을 유발하는 여러 가지 원인의 결과적인 증상이며 신호다. 이는 아동이 가지고 있는 잠재력을 모두 발현하는 데 방해가 되는 요인이 무엇인가를 체계적으로 탐색해야 한다는 것을 의미한다(김동일 외, 2011). 이러한 탐색을 위해 교사나 학업상담자는 학습부진의 다각적인 면을 인식해야 한다. 즉, 학습보다 포괄적인 개념인 학업에 영향을 주는 주요 변인 중 인지적 · 정서적 · 행동적 특성을 개인과 환경적 맥락에서 학생의 상황을 이해할 필요가 있다. 기본적인 학습부진아의 일반적 특성, 일상생활 특성, 사회정서적 요인 등을 간략히 살펴보면 다음과 같다.

학습부진아의 일반적 특성은 다음과 같다(Taylor, 1964: 김동일 외, 2011 재인용).

- 학업불안을 가지고 있다.
- 자아존중감에서 자기비판적이고 부적절감을 가지고 있다.
- 성인과의 관계에서 추종, 회피, 맹목적 반항 혹은 부모에 대한 적대감을 가지고 방어적으로 행동한다.
- 대인관계에서 거절감이나 고립감을 느끼기 쉽고, 무관심하며, 타인에 대해 비판적이다.
- 낮은 성취 극복에 대해 의존하는 경향이 있으며, 학업 책임에 대한 회피를 하기 때문에 독립과 의존 간의 갈등을 겪는다.
- 목표에 대해 비현실적이고, 지속적인 실패를 겪는다.

학습부진아의 일상생활 특성은 다음과 같다(김동일 외, 2011).

- 명백한 정신장애라는 진단적 전조(불안, 우울, 환각, 공포, 감정의 기복, 사고장애 등)가 거의 없다.
- 자아와 미래에 대한 성찰이 결핍되어 있다.
- 진짜 문제행동, 심각한 반사회적 행동 혹은 비행행동은 거의 보이지 않기도 한다.
- 상대적으로 만족하는 성취 패턴 이후에 최근 일관된 부진 패턴을 보인다.
- 가정과 학교에서 자신에게 부과된 개인적인 책임(집안일, 공부와 숙제 완수)을 지속적으로 미룬다.
- 과제를 수행할 때 어려움을 겪으면 좌절하며 쉽게 포기하거나 흥미가 줄어드는 경향이 있다.
- 일반적으로 주목할 만한 게으름이나 동기 결여가 보인다.

학습부진아의 사회정서적 요인은 다음과 같다(김동일 외, 2011).

- 부모의 지나친 압력
- 부모의 무관심과 방치
- 삶에 대한 기본적 태도를 개발할 수 있는 기회의 부족
- 재정적 한계
- 사고와 공부 방법에 대한 지도의 부재
- 폭넓고 도전적인 교육과정의 부재

3) 학습부진의 재개념화

학습부진에 대한 진지한 탐색을 위하여 이루어져야 할 일은 학습부진의 개념을 재정립하는 것이다. 이를 위해서는 다음과 같은 필요조건이 구체화되어야 한다(김동일 외, 2011).

첫째, 학습부진에 대한 정의와 일반적인 지침, 판별 검사의 제작 및 참고자료는 국가 수준에서 정하지만, 조작적이고 실제적인 정의는 단위 학교 수준에서 여러 사정을 고려하여 결정하여야 한다.

둘째, 학습부진의 정의에는 '정상적 지능 수준'을 가정하는 기대-성취의 불일치보다 일정 수준 이하의 저성취가 강조되어야 한다. 공교육에서는 공적인 책무성을 지니고 일정한 성취 수준 이하의 학생들이 학업에서 소외되지 않도록 돌보아야 한다.

셋째, 학습부진아에 대한 교육은 각 교육 주체(교사, 학부모, 학생 자신)의 동의를 바탕으로 이루어져야 하지만, 담임교사의 판단이 가장 중요한 근거가 되어야 한다.

넷째, 학습부진아에 대한 교육은 단위 학교에서 방과 후에 하는 활동인 만큼, 책임지우기나 채찍 위주의 감독보다는 우수 사례의 발굴과 우수 교사에 대한 격려가 강조되어야 한다.

다섯째, 학습부진에 대한 교육은 특수교육과 연계 서비스가 구축되어야 한다. 이는 통합교육 차원에서 특수교사가 일반교사를 지원하거나 협력적 자문을 제공할 수 있는 있는 장이 되어야 함을 말한다.

4 학습장애*

학습에 어려움을 겪는 학생 가운데 문화적 결손이나 지능의 문제가 아니면서 인지처리 과정상의 결함으로 특정 학습 영역에서 현저한 어려움을 보이는 학생이 있다. 이들은 ADHD와 공존하는 경우가 있지만, ADHD는 1차적 원인에서 학습에 결함이 아니라 학습과 관련한 개인내적 요인의 장애로 볼 수 있다. 학습장애는 원인인 발달적인 면과 그 결과인 학업적인 면으로 나누어 살펴볼 수 있다.

「장애인 등에 대한 특수교육법」(2008)과 한국특수교육학회(2008)에서 제안한 정의를 중심으로 학습장애에 대한 정의를 요약하면 다음과 같다.

 〈표 1-5〉 **학습장애의 정의 및 분류**

<table>
<tr><th colspan="2">학습장애(learning disabilities)의 정의</th></tr>
<tr><td colspan="2">• 정신지체, 정서장애, 환경적 · 문화적 결핍과는 관계없이 듣기, 말하기, 쓰기, 읽기 및 수학 능력을 습득하거나 활용하는 데서 심한 어려움을 한 분야 이상에서 보인다.
• 개인이 내재하는 지각, 지각-운동, 신경체계의 역기능 및 미소 뇌손상과 같은 기본적인 정보처리 과정에서의 장애로 인하여 나타난다.
• 개인 내 차이, 즉 개인의 능력 발달에서 분야별 불균형이 나타나는 특징이 있다.</td></tr>
<tr><th>발달적 학습장애(원인적 학습장애)</th><th>학업적 학습장애(결과적 학습장애)</th></tr>
<tr><td>• 교과를 학습하기 전에 갖추어야 할 신체적 기능에서 어려움을 보인다.
– 주의집중력
– 기억력
– 인지 기능, 사고 기능, 구어 기능</td><td>• 학습기능에 어려움을 보인다.
– 읽기
– 쓰기
– 셈하기
– 작문</td></tr>
</table>

학습장애 학생은 자신의 잠재능력에 비해 학년 수준에서 차이가 많기 때문에 기초학습기능에서 체계적이며 장기적인 교육적 중재가 필요하며, 매우 개별화된 특수교육 서비스가 필요하다.

* 이 절은 김동일, 이대식, 신종호(2009)의 내용 일부를 요약 · 정리한 것임.

특수교육 서비스를 제공하기 위해서는 이에 타당한 근거로 학습장애로 판별되기 이전에 선별 절차가 따른다. 현재는 한국형 진단단계 모델(김동일, 2009)에서 제안하는 중재반응모형이 통합교육(1단계)과 집중교육(2단계)에서 실시되고 있다. 이러한 접근은 학습에 어려움을 보이는 문제에 대해 교육적 지원을 강조하는 것이다. 이러한 진단모델에서는 일반적으로 학생의 학습적 문제를 먼저 인식하여 학습문제에 중재한 증거 기반의 자료가 포함되어야 한다.

기존의 「특수교육진흥법」이 학습상 어려움에 대한 선별 및 진단 과정을 학생들이 실패하는 결과에 초점을 두었다면, 중재반응모형은 학습의 근본적인 문제를 찾아 해결하고자 하는 접근이다. 2010년에 교육과학기술부(현 교육부)에서는 학습장애 진단 지침을 통해 중재반응모형의 적용을 권고한 바 있다. 학생이 교수적 중재에 대하여 반응을 보이는가에 따라 학습장애를 선별하게 되므로, 교사는 학습자의 문제를 해결하기 위해 다각적인 중재 전략을 필요로 하게 된다.

학습문제를 해결하는 과정에서 통합교사와 특수교사 그리고 각급 단위 학교의 행정적 지원의 협력적 관계는 근본적 지원의 관점에서 꼭 필요하며, 이 점은 공교육 책무성의 연장선에 있다고 볼 수 있다. 이러한 관점에서 학습장애 선별 및 지원을 위해 문제해결 과정으로 현재 실시되고 있는 중재반응모형에 대해 구체적으로 살펴보고자 한다.

5 중재반응모형*

1) 중재반응(Response to Intervention: RTI) 모형의 이해

이전에 학습장애 판별을 위해 실시되었던 능력-성취 불일치 준거에 대한 문제점이 인식되면서, 최근 미국에서는 학습장애 진단이 특정 학습장애 학생에 대한 효율

* 이 절은 김동일, 이대식, 신종호(2009)와 인천광역시교육청, 교육과학기술부(2009)의 내용 일부를 요약 · 정리한 것임.

적인 판단을 보증할 수 있도록 학생 중심, 포괄적인 평가, 문제해결 접근 방식을 포함하여야만 한다는 국가수준에서의 합의가 이루어졌다(Common Ground Report, 2002: 인천광역시교육청, 교육과학기술부, 2009 재인용). 이에 따라 개별화된 평가와 지속적인 진전도 모니터링에 의거한 RTI는 기존의 학습장애 선별 모델로서 많은 문제점을 가지고 있는 '능력-성취 불일치' 기준을 대체할 수 있는 학습장애 판별의 대안적 모형으로서 많은 연구자들에게 큰 반향을 일으켰다. 이러한 노력의 결과로 2004년 미국의 개정 「장애인교육법(IDEA)」에서 학습장애 판별기준으로 승인되어 이 모형을 적용한 많은 연구들이 특히 읽기와 수학영역에서 활발히 이루어지고 있다(Bryant et al., 2008; Fuchs & Hollenbcek, 2007: 인천광역시교육청, 교육과학기술부, 2009 재인용). 현재 우리나라에서 이 진단모형은 2년째 실시되고 있으며 이에 따른 개선점이 나타나고 있다.

2) 중재반응모형의 과정

RTI는 교수 환경에 의해 제공되는 다양한 교육적 중재에 대한 학생의 반응을 연속적으로 평가하여 중재에 따른 학업 진전도를 진단하는 모형이다(Vaughn & Fuchs, 2003). 이는 학습장애의 판별이 임상적인 진단 수준에서 현장의 교육 문제로 넘어옴을 뜻하는 중재 중심의 진단 체제를 의미하며, 공식적으로 2002년 미국 교육부에서 주최한 워싱턴 D.C.의 학습장애 정상회담에서 미국학계와 교육부에 구체적으로 공론화되었다. 이때 Fuch와 그의 동료들(2002)은 '이중 불일치(dual discrepancy)' 모델을 제시하였다. 여기서 말하는 이중 불일치는 ① 학생이 자기 학년에서 낮은 성취 수준을 보이는 경우를 확인하고, ② 자기 또래에 비해 학습 진전도가 낮은 경우가 확인되어야 한다. 이중 불일치는 이러한 두 가지 조건을 만족시킬 때 학습장애 학생으로 고려하자는 것이었다. 여기서 알 수 있는 점은, 이러한 이중 불일치가 지향하는 패러다임은, 인지 변인이 부족하다는 Kavale과 그의 동료들의 이론적 공격에도 불구하고, 중재의 충실성을 강조하는 중재반응모형이라는 것이다.

이러한 중재 접근은 단계적으로 이루어진다. 즉, 학습장애의 진단은 일반적으로 이러한 연속적 중재 단계인 일반교육(I단계), 집중/보충 교육(II단계), 특수교육(III단계)으로 이루어진다. 연속적 배치 단계를 그림으로 나타내면 [그림 1-1]과 같다(인천광역시교육청, 교육과학기술부, 2009).

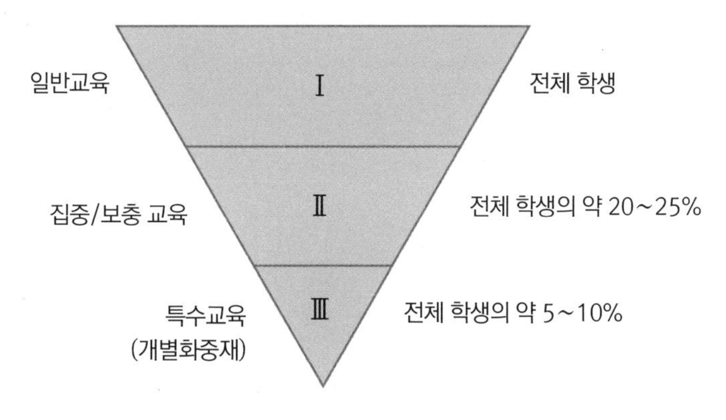

[그림 1-1] **3단계 연속적 배치 단계**

 〈표 1-6〉 **3단계 연속적 배치 단계**

단계 I 일반교육
일반학생의 학습 능력보다 낮은 성취 수준과 느린 성장 속도를 보이는 학생을 진단하는 단계로, 표준화 검사를 실시하여 또래에 대한 학생의 현재 수준을 확인한다. 또래보다 수준이 낮을 경우 일반교사가 잘 검증된 교수-학습 방법으로 일정 기간 가르치게 되며, 이 교수-학습 방법에 반응을 보이지 않는 대략 하위 20~25%의 학생들은 II단계에 배치된다. I단계에서 II단계로 이동하는 과정을 통해 별도의 교육적 지원을 필요로 하는 학생을 선별할 수 있다.
단계 II 집중/보충 교육
현재의 학습능력과 특성 등을 고려하여 집중교육을 받게 된다. 여기서 집중교육이란 읽기, 쓰기, 셈하기와 같은 기초학습 기능의 습득 및 발달에 초점을 둔 체계적이고 과학적인 프로그램을 말한다. 만약 집중교육이 제공되었음에도 반응을 보이지 않는 학생은 학습장애 발생 고위험군(at-risk)으로 분류되어 III단계로 배치된다.
단계 III 특수교육
특수교육지원서비스에 의뢰되며, 이중 불일치가 확인되어 학습장애 학생으로 최종 판정되면 특수교육서비스가 제공된다.

출처: 김동일, 이대식, 신종호(2009).

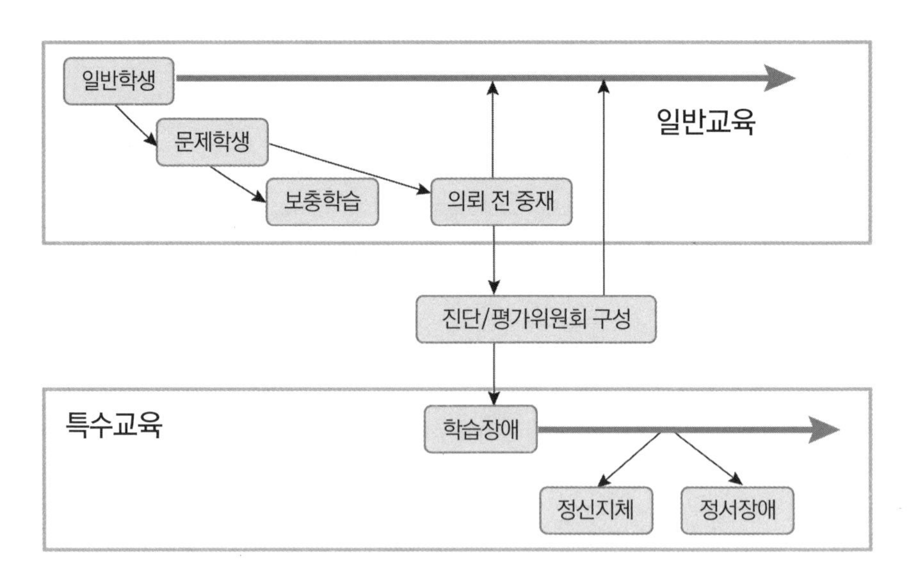

[그림 1-2] **진단 과정에 따른 특수교육 배치 단계**

출처: MacMillan & Siperstein (2002): 김동일, 이대식, 신종호(2009) 재인용.

3) 중재반응모형의 장점

중재반응모형은 문제해결모델을 학습장애의 진단에 적용한 것으로, 다단계로 실시함에 따라 여러 가지 장점을 가진다(김동일, 이대식, 신종호, 2009).

첫째, RTI는 학습장애 학생의 조기 선별을 위해 문제해결접근으로 선 중재를 실시하기 때문에 학생이 실패할 때까지 기다리는 것(wait to fail)을 최소화할 수 있다. 최근 만 4세 이상을 대상으로 한 초기문해와 초기수학의 기초학습기능 수행평가체제 검사 도구(김동일, 2011)는 학령기 이전의 기초학습의 준비도를 평가할 수 있는 체계로 이루어졌다. 또한 학령기 때부터는 읽기검사와 수학검사(BASA; 김동일, 2006)를 활용하여 초기에 교육과정 중심의 진단을 실시한다.

둘째, 특수교육에 의뢰되는 학생의 수가 감소하고 있고, 이는 우리나라에서도 학습장애 의뢰 수가 줄어드는 상황이 잘 설명하고 있다.

셋째, 경제적 · 문화적으로 약자에 속한 학생들이 과도하게 학습장애로 판별되는 것을 감소시킬 수 있다.

넷째, 교수와 관련된 자료를 최대화할 수 있고, 교사의 책무성이 증가되어 학생의 성과에 초점을 맞추게 되며, 일반교사와 특수교사의 책임감와 협력의 공유가 촉진

될 수 있는 장점이 있다.

4) 중재반응모형의 과제

선 중재 후 진단을 실시하는 RTI는 많은 장점에도 현재 실시하는 과정에서 보완해야 할 현실적인 과제들이 나타나고 있다.

첫째, 인지과정상의 장애(process deficit)의 원인을 추정하여 중재하는 데 한계가 있다(Kavale, Holdnack, Mostert, 2005). 또한 '무반응'을 학생의 낮은 수행 수준과 동일시하고 있기 때문에, 불일치 규준을 활용하지 않는다면 학습지진과 학습부진이 함께 공존할 가능성이 높다(김동일, 정광조, 2008). 이에 대한 대안으로 한국형 학습장애 진단모형은 중재반응모형과 능력-성취 불일치를 단계적으로 통합한 모델로 실시되고 있다.

둘째, RTI 자체의 타당성, 신뢰성, 중재 충실도 등의 문제다. 학습장애 학생의 읽기 장애에 대한 성취도가 읽기 문제의 난이도 및 학년에 따라 달라 학습장애를 조기에 발견하는 데 문제가 있으며, RTI에서 강조하고 있는 해독과 유창성 등의 음운 인식만으로는 읽기의 기초 능력을 강화하는 데 어려움이 있다는 점 등이 지적되고 있다(김동일 외, 2009).

셋째, RTI는 국어와 수학에만 적용되고 있고, 학습장애의 정의는 바뀌지 않는 상태에서 학습장애의 평가에 있어 RTI를 사용하도록 하는 데 문제가 있다. 또한 읽기 교수의 질을 확보하기 위한 재정적인 지원과 정책적인 지원에 대한 현실적 어려움이 있고 과학적으로 증명된 교수가 무엇인지와 진전 상황을 평가할 수 있는 객관적인 측정 방법이 마련되어 있지 않다는 점이 지적되고 있다(김윤옥, 2005: 김동일 외, 2009 재인용).

6  학업문제를 보는 다양한 관점*

지금까지 학습부진과 학습장애를 결과적인 측면에서 살펴보았다면, 학업에 대한 전반적인 이해를 도모하기 위해 학습심리학적 관점에서 학업문제에 영향을 주는 다양한 변인에 대해 다각적으로 살펴보고자 한다.

학습상담자의 학업에 대한 다양한 안목은 학습자의 환경과 상황을 이해하는 데 반드시 선행되어야 할 지식이다. 이는 학업에 영향을 미치는 다양한 변인들을 연구한 이론과 모델을 통해 학업의 문제를 다양한 관점에서 바라보고 이를 바탕으로 학습전략을 구상하는 데 중요한 필요조건이 된다.

1) 학업과 관련한 요인

학업에 대한 전반적인 이해는 학습전략을 구상하는 데 반드시 선행되어야 할 개념이다. 학업에 문제를 보이는 여러 이질적인 집단 중 우리가 눈여겨볼 점은, 학습부진이나 학습장애 학생은 자신의 잠재능력이 있음에도 학업 영역에서 학업성취 수준을 보이지 않는다는 점이다. 교사나 학습상담자는 이러한 맥락에서 학습부진아의 잠재력을 발현하는 데 방해가 되는 요소가 무엇인지 개인적 · 환경적 맥락에서 다각적인 요인으로 분석할 필요가 있다.

학습자는 학업과 관련된 단일한 요인에 관련되어 있는 것이 아니라, 인지적 · 정서적 · 행동적 요소에서 양방향적으로 자신의 학업에 영향을 받게 된다. 따라서 학업과 관련한 인지적 · 정서적 · 행동적 요소에 대한 구체적인 변인을 인식해야 한다.

황매향(2009)은 학업과 관련하여 학습 부적응의 원인을 하나의 분류 틀 속에 통합하여 제시하였다. [그림 1-3]을 보면, 크게 개인 변인(원인)과 환경 변인으로 분류할 수 있고, 이를 다시 변화 가능한 변인과 변화시키기 어려운 변인으로 분류 및 개념화하여 개인-환경, 변화 가능-불가능이라는 두 개의 축으로 나누어져 있다. 학습상담자는 이와 같은 다양한 변인을 고려하여 학습의 어려운 점을 살필 필요가 있다. 학습

* 이 절은 김동일 외(2011)와 김아영(2010)의 내용 일부를 수정한 것임.

상담자는 [그림 1-3]의 분류에서 1사분면의 요인에 집중하고 나아가 2사분면의 요인의 변화를 조력할 수 있다.

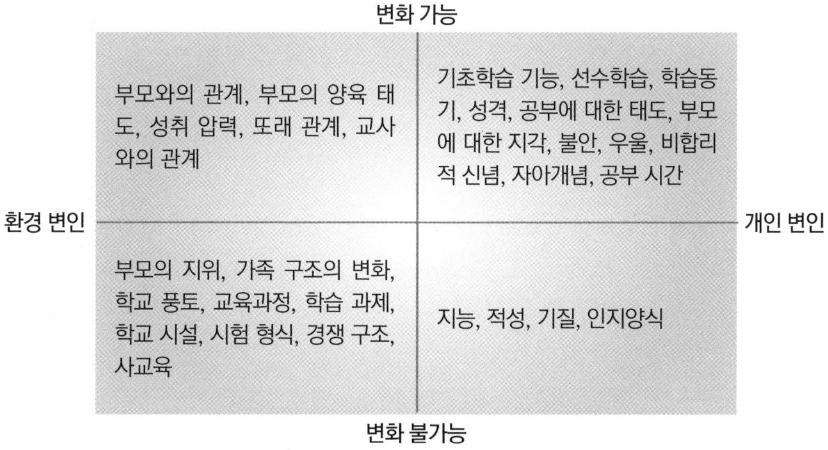

변화 가능

환경 변인		개인 변인
부모와의 관계, 부모의 양육 태도, 성취 압력, 또래 관계, 교사와의 관계	기초학습 기능, 선수학습, 학습동기, 성격, 공부에 대한 태도, 부모에 대한 지각, 불안, 우울, 비합리적 신념, 자아개념, 공부 시간	
부모의 지위, 가족 구조의 변화, 학교 풍토, 교육과정, 학습 과제, 학교 시설, 시험 형식, 경쟁 구조, 사교육	지능, 적성, 기질, 인지양식	

변화 불가능

[그림 1-3] **학업 요인 분류의 예**(황매향, 2009)

학업 요인을 배경 요인과 변화 가능 요인에 따라 분류하여 자세히 살펴보면 다음과 같다.

(1) 배경 요인에 따른 분류

 〈표 1-7〉 **배경 요인**

능력 요인	교수-학습 요인
• 지능, 적성 불일치, 기초/선수학습 결손 등 • 학습전략의 부재, 인지양식	• 부모의 지위, 사교육 • 교육과정, 교수법, 시험

능력 요인 중 학습전략과 학습자의 특성(인지양식)을 고려하여 학습전략 프로그램 및 학습상담 중재 및 교수법과 교육과정에 대한 교사의 재량을 발휘할 수 있다.

(2) 변화 가능 요인에 따른 분류

학습상담을 통해 변화시킬 수 있는 문제를 변화 가능 요인으로 분류하여 제시하면 〈표 1-8〉과 같다.

 〈표 1-8〉 **변화 가능 요인**

인지적 요인	정의적 요인	행동적 요인	환경적 요인
• 학습동기, 공부에 대한 태도 • 부모의 기대에 대한 지각 • 비합리적 신념	• 불안, 우울, 스트레스 • 성격적 특성(완벽주의, 꾸물거림)	• 학습전략의 실천, 학습 방법의 효율성 • 시간 관리, 시간 배분	• 신체적 · 물리적 환경 • 심리적 환경(부모, 교사, 또래)

〈표 1-8〉에서 제시한 네 가지 변인은 변화 가능한 요인이기 때문에 대부분의 변인을 학습전략 프로그램 구성에서 적극 활용할 수 있다. 특히 인지적 요인에서 학습동기나 공부에 대한 태도를 학습전략 프로그램의 귀인 가운데 동기나 자아효능감에 구성할 수 있으며, 학습자 자신의 정서 이해와 학습에 대한 귀인에서 적극적인 중재를 할 수 있다. 또한 인지적 · 초인지적 전략을 학습에서 어떻게 사용할 수 있는지를 적극적으로 활용하도록 지원하며, 더불어 환경적 요인으로 자원관리를 어떻게 공부에 적용할지를 구체적으로 제시할 수 있다.

2) 학습의 주요 요인 영역 분류

학습의 주요 요인은 인지적 · 정의적 · 환경적 영역으로 분류할 수 있다(김동일 외 2011). 〈표 1-9〉를 살펴보면, 교사는 학생에게 실제로 학습전략 프로그램을 통해 중재할 수 있는 요인이 어디에 해당하는 확인할 수 있다. 학습부진이나 학습장애 학생의 특성상 인지 및 초인지에 해당하는 학습전략과 정의적 영역(동기나 자아효능감)에서 정서를 중점적으로 다루는 포괄적인 학습전략 구성이 매우 필요하다.

〈표 1-9〉 **학습의 주요 영역 분류**

인지적 영역	정의적 영역	환경적 영역
• 두뇌의 기능 • 지능 • 과목별 선행학습 수준 • 학습전략	• 동기 • 자아개념 • 흥미 • 불안	• 가정 • 학교

(1) 학습의 인지적 영역

① 두뇌의 기능

현재까지 뇌에 대한 연구는 학습과 관련해서도 출생 시부터 타고난 학습능력 외에 학습경험에 의해 변화될 수 있는 가능성, 그리고 특정한 학습에 결정적 시기가 없는 것은 아니지만 뇌의 적응적 능력에 대한 가능성 등을 보여 주고 있다. 현재까지의 연구 결과를 통해서도 학습과 관련된 교육적 · 상담적 개입이 뇌의 발달과 구조 변화에 상당 부분 영향을 미칠 수 있다는 것을 알 수 있다(김동일 외, 2011).

② 지능

지능의 객관적인 측정 결과 못지않게 지능에 대한 학습자의 주관적인 인식이 학습 태도에 많은 영향을 준다(Dweck, 1999; Dweck & Leggett, 1988: 김동일 외, 2011 재인용). 즉, 지능이 학습자의 노력 여부에 따라 변할 수 있다는 관점(향상론적 관점)을 가지고 있는가 혹은 고정적인 것이어서 학습자가 노력을 해도 변화시킬 수 없다는 관점(실체론적 관점)을 가지고 있는가에 따라 학습자의 태도가 달라질 수 있다(김동일 외, 2011). 여기서 후자의 관점은 성취 경험으로 귀인 훈련을 통해 학습자가 신념을 갖고 적극적인 학습 태도를 가질 수 있도록 학습전략을 구안할 수 있다.

③ 과목별 선행학습 수준

과목별 선행학습 수준을 분석하는 것은 현재의 학습 진로에 대한 이해를 높이는 데 도움이 된다. 뿐만 아니라 이후의 결손 누적을 예방하기 위해서는 선행학습의 결손 부분을 정확히 파악하여 학습을 익히도록 하는 것이 필요하다.

④ 학습전략

학습전략이란 협의의 의미로 공부하는 방법이나 기술을 의미한다. 이것은 학습자의 선행학습 수준을 고려하여 학습자가 공부할 내용을 효과적으로 다루고 파악하여 자기 것으로 만드는 방법을 얼마나 잘 알고 사용하는가를 의미한다(김동일 외, 2011). 하지만 학습에 영향을 주는 요인인 인지적·정의적 특성이 함께 고려되어야 하기 때문에 학습전략과 관련한 프로그램에는 동기나 자아효능감과 같은 정서적 영역 또한 반드시 들어가야 한다. 특히 귀인 훈련과 자기감정을 살피고 표현하는 자기인식은 중요한 학습전략의 내용이 된다.

(2) 학습의 정의적 영역

① 동기

동기란 목표를 이루어 가기 위한 물리적·정신적 활동이라 볼 수 있다. 동기는 학습 과정과도 밀접한 관련이 있다. 동기는 어떤 내용을 선택하고, 언제 공부를 하며, 어떤 방법으로 공부하는지 등 학습 과정 전반에 영향을 준다(Schunk, 1991).

특히 학습에 대한 동기는 학습전략의 사용에도 영향을 준다. 즉, 학습에 대한 동기가 높은 학생은 어려운 내용이 나오더라도 더욱 집중하여 읽고 이해하려고 하며 모르는 것을 알기 위해 학습전략을 적극적으로 사용하는 반면에, 동기가 없는 학생은 집중하지 하지 않으며 적극적인 행동을 취하지 않는다(Zimmerman & Martinez-Pons, 1992).

이러한 맥락에서 학습과 관련하여 동기를 유발하고 지속시킬 수 있는 것이 무엇인지와 학습동기가 매우 낮거나 없는 상태의 과정을 어떻게 이해할 수 있는지를 인지주의적 관점과 인본주의적 관점에서 서로 비교하여 중요한 하위 개념을 살피고, 이어서 행동주의와 기질적 관점을 통해 학업동기에 대한 이해를 살펴본다.

가. 동기에 대한 인지주의적 관점(귀인이론, 자기결정성이론)

■ 귀인이론

일반적으로 무동기 혹은 낮은 동기는 실패에 대한 귀인을 개인 내부보다는 외부의 안정적인 요인에서 찾으며, 자신이 그 결과를 변화시킬 수 없다고 믿는 것과 관련이 있다. 학습된 무기력감은 실패 경험을 거듭함에 따라 자신의 반응이 혐오 자극에 어떠한 영향도 미칠 수 없다는 것을 사전에 학습한 결과에서 비롯되는 것이다(Seligman & Marier, 1967). 학습자의 경우 기대에 못 미치는 낮은 성적과 같은 결과를 자주 경험하면서 자신의 노력 여하가 성적 변화를 이끌 수 없다는 믿음을 갖게 되면 성적 향상을 위한 어떠한 노력도 하지 않는 무동기 상태에 쉽게 빠질 수 있다.

특히 자신의 노력이 성적에 어떠한 영향도 미칠 수 없다고 생각하는 것은 학습자로 하여금 결과를 통제하려는 기대를 감소시킨다. 이는 노력 후에 실망 역시 경험하지 않겠다는 학습자의 또 다른 선택의 결과이기도 하다. 노력에 대한 결과가 실패로 나타나는 경험이 외상적인 경우, 즉 전혀 예상하지 못했던 큰 실패를 경험할 경우에 학습자는 결과에 대한 통제 가능성에 대한 자신감을 급격히 상실하고 무기력해져서 우울 상태에 이를 수 있다.

이와 같은 경우, 학습상담자는 동기에 대한 문제를 귀인과정을 통해 더욱 자세히 살필 수 있다. 귀인은 성공 혹은 실패에 대한 원인을 찾는 과정에서 나타나는 경향성을 의미한다. 귀인이론은 인간은 누구나 자신에게 일어난 어떠한 사건이나 결과가 어떠한 이유에서 일어났는지를 알고자 하며, 각기 다른 방식으로 그 원인을 찾는다고 가정한다. 귀인이론은 개인의 성공 혹은 실패를 귀인의 과정에서 원인의 소재, 안정성, 통제 가능성 차원으로 구분하여 귀인과정으로 설명할 수 있다(Weiner, 1984).

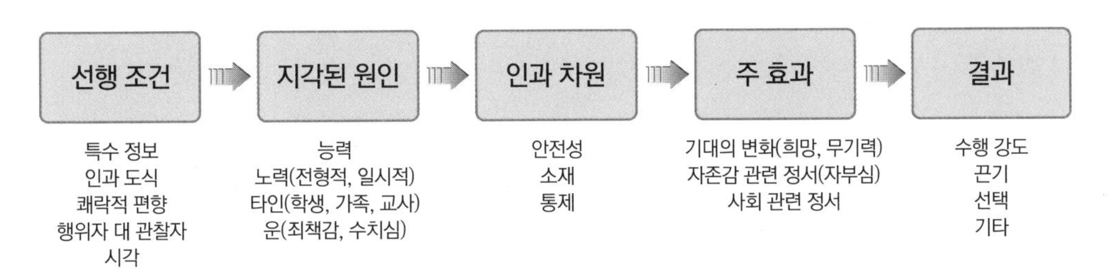

[그림 1-4] **동기에 대한 귀인이론**(Weiner, 1992; 김아영, 2010)

• 인과귀인의 효과

귀인의 효과에 대해서는 개인의 정서적 반응의 주요 근원이 된다는 연구가 수행되었다. Weiner, Russell 그리고 Lerman(1978)은 성공은 행복과 만족감을 가져오고 실패는 슬픔과 불만족감을 유발함으로써 개인의 감정에 영향을 미친다고 주장하였다. 예를 들어, 성공적인 결과가 능력 때문이라고 하면 유능감이 생기며 노력에 대한 계속적인 성공을 희망하게 된다. 반면, 실패를 노력 부족으로 귀인하면 죄책감이 유발된다.

학생의 실패나 성공에 대한 귀인은 후속 행동에 영향을 미치기 때문에 중요한 동기 유발 변인으로서 교육적 함의가 높다. 만약 학생이 자신의 실패를 능력이 부족하기 때문이라고 귀인하는 태도를 보인다면, 후속 학습에서 무기력에 빠질 경향이 높다고 예측할 수 있다. 실제로 이러한 예측을 확인하는 증거는 쉽게 찾아볼 수 있다. 학습 상황에서 학생들에게 가장 큰 동기문제는 실패를 안정적이며 통제 불가능한 요인에 귀인할 때 발생하는데, 이러한 경우 학생들은 우울과 무기력에 빠져 동기화되지 않는 상태에 머물러 있게 된다(Weiner, 2000).

• 학습된 무기력의 유해 효과

Maier와 Seligman(1976)은 통제 불가능 경험은 세 가지 유형의 유해한 효과 또는 행동결손(behavioral deficit), 즉 동기적(motivational) · 인지적(cognitive) · 정서적 결손(emotional deficit)을 초래한다고 주장하였다.

학습된 무기력과 관련한 많은 연구의 결과를 보면, 학습된 무기력은 일단 경험하게 되면 다양한 상황에 걸쳐서 상당히 영속적인 행동 유형을 발생시키는 특징을 가지며, 학습된 무기력이 나타나는 현상은 과제나 상황에 걸쳐서 일반화되며, 인지적 과제나 운동 능력 과제에서의 수행이 오랫동안 계속되는 통제 불능성에 의해 해로운 영향을 받는다는 것을 알 수 있다.

학습부진 학생은 잠재력을 갖추고 있으면서도 자신의 학습된 무기력감 때문에 정서적 · 인지적 · 동기적 결손 등의 행동 특징을 보인다. 이에 교사나 교육상담자는 이런 학생의 특성에 맞는 구체적인 학습전략을 활용할 필요가 있다. 학습부진 학생의 경우 자신의 학습된 무기력감으로 학급에서 자신의 감정을 충분히 표현하는 데 자신감이 없으며 이는 학습 상황에서도 자신의 인지적 동기화에 불리한 영향을 받게 된다.

■ 자기결정성이론

자기결정성이론(Self-Determination Theory)은 미국 로체스터 대학교의 Edward Deci와 Richard Ryan을 중심으로 한 연구팀에 의해 1980년대 중반부터 빠른 속도로 발전해 왔다. 자기결정성이론은 오늘날의 심리학 분야에서 인간의 동기를 설명하기 위한 이론적 체계로 가장 포괄적이며 실증적 연구의 지지를 많이 받고 있는 내재동기이론 중 하나다. 이 이론은 학업 상황과 임상 상황뿐만 아니라 일, 운동, 건강, 육아를 비롯한 사회생활의 거의 모든 영역에서 인간의 동기와 행동을 이해하는 많은 시사점을 주고 있다(김아영, 2010).

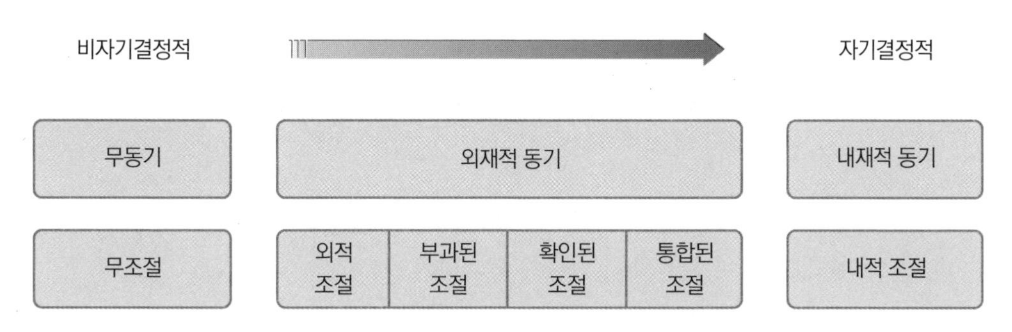

[그림 1-5] **자기결정성 정도에 따른 동기 유형**(Ryan & Deci, 2000)

[그림 1-5]를 보면, 학습부진 학생들은 대개 동기 상태가 가장 왼쪽 수준인 무동기 상태에 머물러 있음을 쉽게 짐작할 수 있다. 학업에서 올바른 학습 습관이 유지되기 위해서 무동기에서 외재적 동기로 진입하도록 성공감을 느끼는 기회를 제공해야 한다.

동기와 자아효능감의 신장은 바로 노력에 의해 성취감을 느끼고 자신이 할 수 있다는 경험에서 자신을 신뢰하고 스스로 하고자 할 때 자기결정적인 쪽으로 옮겨질 것이다. 즉, 무동기에서 외재적 동기로 진입되어 차차 동기 높은 수준으로 옮겨 가기 위해서는 학습전략의 가운데 동기와 자아효능감에 대한 중재가 학습부진 학생과 학습장애 학생에게 적극적으로 필요할 것이다.

■ 학습전략의 활용에 대한 전략 귀인

학업이나 다른 성취 상황에서 실패를 능력으로 귀인하는 것보다 노력으로 귀인하는 것이 후속 행동에 긍정적인 동기를 유발시킨다는 것이 확인되어, 이에 대한 귀인

재훈련 프로그램의 효과가 검증되기도 하였다.

그러나 실패를 노력 부족으로 귀인하는 것도 한계가 있음이 제기되었고, Anderson (1983), Anderson과 Jennings(1980), Clifford(1984) 그리고 Clifford와 McNabb(1983)에 의해 노력 귀인보다 더욱 건설적인 효과를 가져올 수 있는 전략 귀인(strategy attribution)이 제안되었다. 예를 들어, 어느 학생이 자신은 더 이상의 노력을 할 수 없을 만큼 최선의 노력을 다 기울였는데도 결과가 실패로 나타났다면, 그는 정말 무능한 학생이라는 것을 의미하는 것으로 해석할 수 있고, 이러한 결과는 자기존중감이나 자기가치감(self-worth)에 매우 부정적인 영향을 미칠 수 있을 것이다. 따라서 전략 귀인의 측면에서 재해석하면, 잘못된 공부 전략을 사용해서 실패했다는 귀인은 실패 경험에 대한 부정적 영향을 줄일 수 있다는 것이다(김아영, 2010). 학습상담자는 이러한 관점에서 전략 귀인을 적극 활용할 필요가 있다. 노력 이외에 공부 전략에 대한 독려로 보다 효과적인 학습을 꾀할 수 있을 것이다.

나. 동기에 대한 인본주의적 관점(욕구위계이론, 기본심리욕구이론)

■ 욕구위계이론

인본주의적 관점에서 동기는 자신의 잠재력을 최대한 실현하기 위한 개인의 경향성으로 설명한다. 대표적인 인본주의 학자인 Maslow(1970)는 인간이 보편적으로 가지고 있는 욕구에는 일정한 위계가 있으며, 하위 욕구가 충족되어야만 상위 욕구가 발생한다고 주장하며 욕구위계이론을 제안하였다(김동일 외, 2011).

Maslow는 하위 욕구가 충족되지 않은 개인은 하위 욕구를 먼저 충족시키고자 하는 경향성을 갖기 때문에 학습에 관한 지적 욕구나 자존의 욕구에 무관심할 수밖에 없다고 주장했다. 이 이론의 당위성은 이미 수많은 연구에서 검증된 사실이므로 우리는 인간의 기본적인 욕구에 대한 깊은 통찰이 필요하다.

이에 학습부진 학생이 욕구위계모형에서 어디에 속하는지 곰곰이 살펴볼 필요가 있다. 학습부진 학생은 정서적 안정감이 매우 낮고, 학습문제의 누적으로 매우 낮은 학습 효능감을 지니고 있다. 이에 따라서 자연히 학급에서 심리적 소외감을 겪을 것이며, 자신감이 떨어져 있다. 이러한 학생들은 학교 이전에 가정에서 부모의 교육적 지원이 열악한 환경에 있는 경우가 많다.

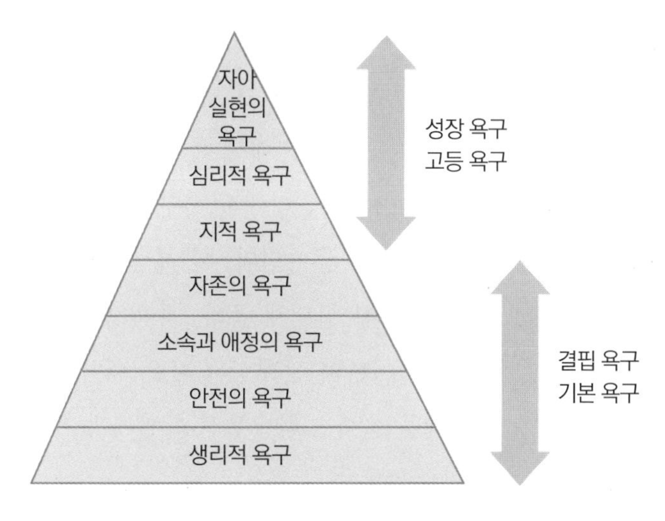

[그림 1-6] **Maslow의 욕구위계모형**

특히 초등학교에 다니는 학습부진 학생은 학업 수준을 지각하여 자신에 대해 느끼는 동기와 자아효능감이 매우 낮다. Erikson의 심리사회적 발달에서 볼 때, 학습부진을 겪는 초등학생은 근면성보다는 열등감으로 인해 학습동기를 잃게 된다. 따라서 이 시기에는 교사나 학습상담자의 태도가 매우 중요하다.

이런 맥락에서 Maslow의 욕구위계모형을 보면, 학습부진 학생이 어느 욕구 단계에서 가장 갈급한 상태에 있는지를 확인하는 것은 매우 중요하다. 욕구위계모형에 따르면, 기본 욕구가 결핍되어 있으면 성장 욕구로 올라갈 수 없기 때문에 학습부진 학생의 경우 소속과 애정의 욕구가 매우 결핍된 상태에 있음을 쉽게 짐작할 수 있다. 이런 학생은 지능이 정상이지만 가정의 환경과 정서적 · 학업적 어려움으로 상당히 학급 내 관계성에서 어려움에 있는 상태일 수 있다. 따라서 학급의 또래나 교사는 학습에 어려움이 있는 학습부진 학생이 스스로 변화하기를 바라기보다는 먼저 환경적 지원을 모색하는 것이 바람직하다. 즉, 관심과 격려를 제공하는 상황으로 변화하는 것은 학습부진 학생이 학급 상황에서 쉽게 변할 수 있는 가장 효율적인 방법일 수 있다.

만약 학습부진 학생이 자신이 속한 집단에서 소속감을 느끼고 타인과의 친분 관계가 개선된다면 이전 욕구인 안전의 욕구에서 더욱 안전감을 갖게 되어 상위 욕구인 자존의 욕구로 올라갈 수 있다. 이러한 욕구위계가 시사하는 것은, 기본 욕구가 채워지면 자신이 가치 있는 사람으로 인정받고자 자신의 학습에 적극적인 관심을 가질 수 있다는 것이다.

■ 기본심리욕구이론-관계성, 유능성, 자율성(Ryan & Deci, 2000)

기본심리욕구의 개념은 많은 경우 명시적으로 드러나지 않지만 자기결정성이론에서 매우 중요한 역할을 한다. 자기결정성이론에서 제시하는 기본심리욕구는 유능성에 대한 욕구(need for competence), 자율성에 대한 욕구(need for autonomy) 및 관계성에 대한 욕구(need for relatedness)로 설명되며, 이 세 가지의 욕구들은 개인의 심리적 성장과 발달에 필요한 특성을 잘 설명해 준다. 특히 Maslow의 욕구단계의 소속과 애정의 욕구는 기본심리욕구이론의 관계성과 같은 맥락에서 이해할 수 있다. 이에 학업적·정서적으로 어려움을 겪는 학습부진 학생에게 기본적 심리욕구를 잘 반영할 수 있는 중재전략이 필요하다.

Ryan과 Deci(2000)는 이 세 가지 기본심리욕구는, 생물이 생존하기 위해 영양분이 필수적인 것과 마찬가지로, 인간이 심리적으로 제대로 기능하기 위해서 필수적으로 충족되어야 하는 영양소라고 강조하였다.

• 관계성의 욕구

'관계성'은 타인과 관계를 맺고 있다는 느낌을 말한다. 관계성 욕구는 사람들이 자신이 속한 집단이나 지역사회에 소속되어 있다고 느끼기를 원하는 소속감에 대한 욕구(need for belongingness)나 친애의 욕구(need for affiliation)와 유사한 개념이라고 할 수 있다. 이는 타인과 안정적인 교제나 조화를 이루고 있다는 심리적 지각에 관한 것이다. 관계성에 대한 욕구 충족은 유능성이나 자율성 충족에 비해 내재동기 증진에서 원격적인 혹은 간접적인 역할을 하지만, 외적 원인의 내재화를 증진시키는 데에서는 결정적인 역할을 하며, 개인 간의 활동에서 내재동기를 유지하게 하는 데 중요한 것으로 여겨지고 있다(Ryan & Deci, 2000).

• 유능성 욕구

인간은 누구나 자신이 능력 있는 사람이기를 원하고, 기회가 주어지면 자신의 능력이나 기술과 재능을 향상시키기를 원한다. Ryan과 Deci(2000)는 유능감은 기술과 능력을 획득하는 것보다는 행동을 통해 자신감과 효율성을 느끼도록 하는 것임을 보여 준다고 하였다.

• **자율성 욕구**

사람들은 행동의 근원이나 주체가 자신에게 있다고 느끼기를 원하고, 스스로 목표를 세우고 행동하는 조절자라고 믿으며, 자신에게 중요한 것과 가치 있는 것이 무엇인가를 결정할 수 있는 자유를 원한다(Ryan & Deci, 2000). 자율적인 행동은 귀인 이론의 관점에서 보면 내적으로 지각된 인과 소재에 따른 행동으로 스스로 조절하고, 자신의 생각을 반영하는 행동을 말한다(Deci & Ryan, 2000).

다. 동기에 대한 행동주의적 관점

행동주의 관점에서 학습 무동기는 외부로부터 적절한 강화가 주어지지 않거나, 학습을 하지 않았을 때 받게 되는 벌의 정도가 낮은 상태가 지속될 때 발달할 수 있다. 자율성이 낮은 개인은 내재적 동기보다 무동기 혹은 외재적 동기 단계에 머물러 있기 쉬우므로 적절한 강화나 벌을 통해 학습동기를 높일 수 있다고 본다.

라. 동기에 대한 기질적 관점

동기에 대한 기질적 관점은 개인의 신경생물학적 관점에서 기질적 특성과 동기를 해석한다. Cloninger(1998)는 자극에 대해 자동적으로 일어나는 정서적 반응 경향으로서의 기질을 자극 추구, 위험 회피, 사회적 민감성 및 인내력 등으로 구분하여 유형화하였다.

동기가 낮은 경우도 개인의 기질적 관점에서 해석할 수 있다. 즉, 새로운 자극이나 보상 신호에 반응하는 정도가 낮아 행동이 쉽게 활성화되지 않거나(낮은 자극 추구), 처벌이나 위험 신호에 지나치게 민감하게 반응하여 행동 억제 성향이 강하거나(높은 위험 회피), 부모나 교사 등 주요 타인으로부터 제공되는 보상이나 평가에 민감하지 않은(낮은 사회적 민감성) 개인의 경우 기질적으로 낮은 동기 상태를 갖기 쉬울 것으로 기대할 수 있다. 이러한 개인의 기질은 다음과 같은 신경심리학적 물질의 영향을 받는다.

 〈표 1-10〉 **개인의 기질에 영향을 미치는 신경전달물질**

기질	특성	주요 신경전달물질
자극 추구	새로운 자극이나 보상 신호에 대한 반응 및 처벌을 적극적으로 회피하기 위한 반응	도파민

위험 회피	처벌이나 위험의 신호, 보상 부재의 신호에 대한 반응	세로토닌
사회적 민감성	사회적 보상 신호 및 타인의 감정에 대한 민감성	노르에피네프린

출처: 김동일 외(2011).

② 자아개념

자아개념은 자기 자신에 대한 포괄적 평가이면서 동시에 자신에 대한 전체적인 느낌이라고 할 수 있다. 개개인은 자기 자신에 대해 가지고 있는 자아개념에 의해 자신의 행동에 영향을 미치게 된다. 긍정적인 자아개념을 가지고 있는 사람은 어떤 일을 하더라도 자신을 긍정적으로 보기 때문에 성공할 것이라고 기대를 가지고, 또 그렇게 믿기 때문에 실제로 성공할 가능성이 높다. 반대로 부정적인 자아개념을 가지고 있다면 쉽게 불안해하고 일이 잘못되었을 때 자책감을 갖거나 좌절감에 빠질 가능성이 높게 된다(김동일 외, 2011).

학습과 관련된 학습 자아개념은 학습과 관련된 다양한 성공 경험 혹은 실패 경험에 의해 형성되지만, 일단 형성된 후에는 학업에서의 실패한 스트레스에 대처하는 태도 등에 영향을 주기 때문에 나중에는 지능지수보다 학업 성적을 예언할 수 있는 더 강력한 요인이 될 수 있다.

따라서 상담자 혹은 교사는 학업성취의 결과에 관심을 가질 뿐 아니라 학습자가 그 결과와 관련하여 자기 자신을 어떻게 지각하고 있는지, 그 결과가 학습자의 자아개념에 어떤 영향을 미치는지 염두에 두어야 한다.

③ 흥미

흥미는 일반적으로 정서적 요인, 즉 특정한 활동을 하는 동안 경험할 수 있는 즐거움 혹은 긍정적 정서의 다른 표현으로 여겨져 왔다. 그러나 흥미의 정의를 좀 더 살펴보면 다음과 같다(김동일 외, 2011).

Krapp, Hidi와 Renninger(1992)는 흥미에 대한 그동안의 연구를 살펴본 결과 [그림 1-7]과 같이 세 가지 관점에서 그 개념을 나누었다.

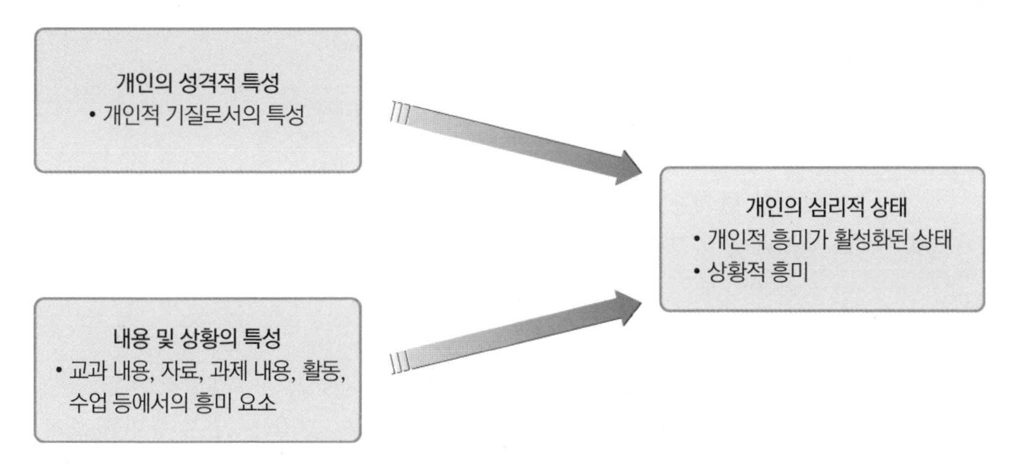

[그림 1-7] **흥미에 대한 세 가지 관점**(Krapp, Hidi, & Renninger, 1992)

첫 번째 관점은 흥미를 개인의 기질적 특성의 하나로 보는 관점이다. 이는 상당히 오랜 시간 동안 지속되는 특정한 과목이나 주제에 대한 개인의 관심 영역을 의미한다. 예를 들어, 진로검사 등에서 많이 활용되는 여러 활동 영역에 대한 관심 분류도 이에 기초하고 있다.

두 번째 관점은 흥미를 교과 내용, 학습 방법 등과 같은 상황적·환경적 특성에 의해 생기는 것으로 파악하는 관점이다. 예를 들어, 특정한 교과 주제에 관심을 보이는지, 가르칠 때 어떤 매체를 활용한 수업에 더 관심을 보이는지 등과 같은 맥락에서의 흥미를 보는 것이다.

세 번째 관점은 흥미를 개인적 성향이 특정한 맥락과의 상호작용을 통해 흥미를 느끼는 심리적 상태로 활성화되는 것이라고 보는 관점이다. 이와 같은 의미에서의 흥미가 활성화되려면 그 주제나 활동에 대해 얼마나 가치를 부여하는지 그리고 관련된 선행지식을 얼마나 가지고 있는지 등이 영향을 준다고 본다.

Hidi와 Renninger(2006)는 흥미의 발달 단계를 4단계로 제시하였다. 흥미 발달 단계에 따르면 상황에 대한 일시적 매력 혹은 가벼운 흥미에서 흥미가 시작되었다 하더라도 필요한 지원을 얻게 되면 보다 높은 수준의 흥미로 발전될 수 있다. 각 단계의 정의, 유형 및 특징을 살펴보면 〈표 1-11〉과 같다.

 〈표 1-11〉 **흥미의 네 가지 발달 단계**(Hidi & Renninger, 2006)

	1단계	2단계	3단계	4단계
정의	정서적 · 인지적 과정에 의한 단기간의 변화에서 야기한 심리적 상태	관심이 촉발된 이후의 심리적 상태: 집중과 관심을 유지하는 단계	내용에 대한 지속적인 관심이 나타나 흥미가 개인의 성향이 되는 초기 단계	시간이 지나도 특정한 주제에 대해 지속적인 흥미를 보임
필요한 지원의 유형	퍼즐, 모둠 활동, 컴퓨터 등 흥미를 유발할 수 있는 환경적 조건	협동 학습과 일대일 학습 등 개인적으로 학습 내용을 의미 있게 받아들일 수 있도록 교육적 환경을 조성	또래나 전문가 등의 지원이 있기는 하지만 스스로도 흥미를 갖게 되는 초기 단계	상당한 정도로 자발적 흥미를 보이며, 외적인 지원도 이를 유지하는 데 도움이 되는 단계
특징	관심의 집중과 정서적 반응, 초기에는 부정적인 정서 반응이 나올 수도 있음	관심의 집중과 정적 반응, 만일 부정적인 정서가 있다면 개인적 흥미로 발전되기 전에 바뀌어야 함	긍정적인 관심과 내용 관련 지식의 축적이 이루어지며 호기심 어린 질문을 하게 되는 초기 단계	긍정적 감정, 지식의 증가 및 축적, 자기조절 및 자기성찰의 증가

(3) 환경적 영역

① 가정

부모가 자녀의 학습 환경이나 학습에 대해 보이는 관심은 자녀의 학업성취와 밀접한 관련을 가지고 있다. Eccles, Wigfield와 Schiefele(1998)는 자녀의 학습과 관련된 부모의 태도를 여섯 가지 항목으로 세분하였다. 즉, 자녀의 학업수행에 대한 귀인, 과제 난이도에 대한 인식, 자녀의 능력에 대한 기대와 확신, 학업에 대한 가치 부여, 실제적인 성취 수준, 그리고 성공하는 데는 장애물이 있으므로 이를 극복하기 위한 전략이 필요하다는 신념이다. 이 여섯 가지 항목에 대한 부모의 태도가 자녀의 학업에 중요한 영향을 준다는 것이다.

② 학교

■ 교사

교사나 학습상담자는 학습에 영향을 미치는 중요한 변인이다. 교사가 학생에 얼마나 신념을 가지는지에 따라, 혹 자신의 교수활동에 대한 강한 신념에 따라, 그리고 학생에게 자신의 신념을 나타내는 방법 등이 학생의 학습 과정 및 결과에 큰 영향을 미치는 요인이 된다. 특히 교사가 학생에게 학업수행의 결과에 대해 어떤 방법으로 어떻게 하는가에 따라 같은 결과라 하더라도 학생은 스스로의 학습 능력에 대해 긍정적으로 생각하게 될 수도 있고, 반대로 부정적이거나 노력해도 소용없는 것으로 생각하게 될 수도 있다. 이와 관련하여 Rosenshine과 Stevens(1986)는 교사의 긍정적인 피드백 유형을 '수행 피드백', '동기 피드백', '귀인 피드백', '전략 피드백' 등 네 가지로 구분하여 〈표 1-12〉와 같이 제시하였는데, 이는 모두 귀인과 관련된 부분임을 알 수 있다.

〈표 1-12〉 **교사의 피드백**

유형	정의	예시
수행 피드백	과제를 얼마나 정확하게 했는지, 그리고 제대로 하기 위해서는 어떻게 수정해야 하는지 등에 대한 피드백을 제공한다.	"맞았어." "첫 번째 부분은 잘했는데, 그다음까지 계속 써야 한다."(전략 귀인)
동기 피드백	잘하고 있는지에 대한 정보를 제공하고, 다른 학습자와의 비교나 설득이 포함될 수도 있다.	"네가 잘 해낼 줄 알았단다."(능력 귀인)
귀인 피드백	학생의 수행을 하나 또는 그 이상의 다른 속성으로 귀인한다.	"열심히 하더니 좋은 성적을 얻었구나."(노력 귀인)
전략 피드백	학생이 사용한 전략이 효과적인지에 대해 피드백을 제공하고, 아울러 과제를 하기 위해 어떤 전략을 사용해야 할지를 알려 준다.	"이런 순서로 한 것은 아주 잘했구나."(방법 귀인)

출처: Rosenshine & Stevens (1986).

■ 학급

학급의 중요한 환경으로는 우선 물리적 환경을 들 수 있다. 교실의 넓이나 구조, 온도, 책상의 크기나 형태도 학습에 영향을 줄 수 있다. 그러나 더 중요한 것은 사회적 환경이다. 경쟁을 강조하는 분위기인지 혹은 협동을 강조하는 분위기인지, 학업성적에 대한 상대적 평가의 의미를 강조하는지 혹은 절대적 평가의 의미를 더 중시하는지, 학업에 대한 자율권을 어느 정도 허용하는지 등 학업과 관련된 학교의 정책적 방향은 학교의 문화와 조직을 결정하고 학생들은 결국 그 영향을 받을 수밖에 없다(김동일 외, 2011). 여기서 분류된 각 전략은 상호 배타적이다.

〈표 1-13〉 **학습전략 분류**

자원관리전략	인지전략	초인지전략
• 시간관리 시간표 작성, 목표설정 • 공부환경관리 장소 정리, 조용한 장소, 조직적 장소 • 노력관리 노력에 대한 귀인, 기분, 스스로에게 이야기하기, 끈기 가짐, 자기 강화 • 타인의 조력 교사/동료로부터의 조력 추구, 동료/집단 학습, 개인지도	• 시연전략 암송, 따라 읽음, 노트 정리, 밑줄 치기 • 정교화 전략 매개단어법, 심상, 장소법, 의역, 요약, 유추 생성, 생성적 노트 정리, 질문-대답 • 조직화 전략 결질, 기억조성법, 핵심 아이디어 선택, 개요화, 망상화, 다이어그램화	• 계획전략 목표 설정, 대충 훑어봄, 질문 생성 • 점검전략 자기 검사, 시험 • 조정전략 독서 속도 조절, 재독서, 복습, 점검

출처: McKeachie, Pintrich, Lin, & Smith (1991): 김동일 외(2011) 재인용.

7 학습전략의 개관*

1) 학습전략의 필요성

학습부진에 관한 많은 이론이 학습부진의 원인으로 기초학습 기능이나 지식의 결여뿐 아니라 인지 및 초인지 전략 등과 같은 학습전략의 결함을 주목해 왔다(Short & Weissberg-Benchell, 1989; Swanson, 1990: 신을진, 이일화, 2010 재인용). 학습부진 학생은 인지적 특성 면에서 문제해결력, 단기기억력, 어휘력과 읽기 능력 등이 전반적으로 저조하며, 학습전략을 잘 알지 못하거나, 알더라도 적절한 상황과 시점에서 사용할 수 있는 융통성이 부족하다는 것이다(Zimmerman & Martinez-Ponz, 1988: 신을진, 이일화, 2010 재인용). 특히 정교화, 조직화 등 보다 복잡한 학습전략에 대해서는 이런 경향이 더욱 높다. 학습전략적 지식은 단편적 지식의 기능을 넘어 자신에게 주어진 문제를 해결할 수 있는 능력을 키워 주는 것이므로, 일반 학생뿐만 아니라 학습부진 학생에게도 매우 필요하며, 익히지 않으면 안 되는 것이라 볼 수 있다(신종호, 2002). 실제로, 학습부진 학생에게도 학습전략은 가르쳐 익히도록 할 수 있으며 긍정적인 학업성과로 연결될 수 있다는 경험적 연구들이 상당수 있다(Chan, Cole, Moris, 1990; Leshowitz, Jenkens, Heaton, Bough, 1993; Scruggs & Mastropieri, 1993; Wong, 1985; 김동일, 신을진, 황애경, 2002; 강진령, 손현동, 2004: 신을진, 이일화, 2010 재인용). 학습전략에 대한 메타분석 연구 결과를 살펴보면, 학습전략을 익혔을 때 학습부진 학생들에 대한 긍정적 효과가 일반 학생들보다 오히려 더 크게 나타나는 것을 볼 수 있다.

2) 학습전략 프로그램의 분류

학습전략 프로그램은 다음과 같은 요소에서 살펴보아야 한다. 첫째, 학습자의 학습적응과 관련된 인지적 · 정서적 · 행동적 요소를 점검하게 된다. 둘째, 교육적 방법을 통해 이러한 요소를 적응적으로 조절하고 활용하는 방법을 학습자에게 전달한

* 이 절은 김동일 외(2011)의 내용 일부를 요약 · 정리한 것임.

다. 셋째, 이를 언급하여 익히는 일련의 과정을 거치게 된다.

프로그램을 통해 교육되는 내용 가운데 인지적 요소는 학습전략의 중심이 된다. 학습전략은 학습자가 글로 쓰여 있는 교재와 교사가 제시해 주는 것에 대한 자기 이해력을 높이기 위해 사용되는 인지적 활동을 말한다. 학습전략의 분류는 학자마다 다양하다. 그중 McKeachie(1986)의 학습전략 분류는 모든 다양한 영역의 학습전략을 포함하고 있으며, 3개의 대범주와 각 대범주별 3개 정도의 소범주로 적당하게 분류되어 있다.

3) 학습전략 프로그램의 종류

학습전략 프로그램은 학습전략을 직접 훈련시키거나 학습전략을 교과 내용과 접목시켜 구체화시킨 공부 방법 또는 학습기술의 형태로 구성된다. 국내외에서 개발된 학습전략 프로그램의 종류는 〈표 1-14〉와 같으며, 이러한 학습전략 프로그램의 공통된 요소는 학습자의 학습행동과 관련이 있는 인지적 · 정서적 · 행동적 측면을 포함한다.

 〈표 1-14〉 **학습전략 국내외 프로그램**

국내 학습전략 프로그램	국외 학습전략 프로그램
• 학습전략 개발 프로그램(김영채, 1992) • 초등학교 학습부진아동 교수-학습자료 개발, 학습동기/전략 프로그램(한국교육과정 평가원 연구보고 CRC 99-2) • 자기조절학습상담훈련프로그램(윤영화, 2002) • 어휘학습전략프로그램(박연정, 2004) • 자기 주도적 학습전략훈련(김정진, 2003) • 자기조절학습전략 훈련(오원석, 2004) • 자기조절학습전략 훈련 프로그램(이춘자, 2003)	• SQ3R(Robinson, 1946) • PQ4R(Tomas & Robinson, 1972) • 인지학습전략(Weinstein & Mayer, 1986) • 학습전략프로그램(Robinson, 1946) • 학습방법(Mangnum, 1994) • 자기조절학습전략(Zimmerman & Marinez-Pons, 1990) • Dalhousie 생활연구소 학습프로그램(Jackson & Van Zoost, 1974) • 학습적응프로그램(Robyak & Sherrard, 1978) • 학습전략프로그램(Tobias, 1994)

출처: 이일화 외(2004).

4) 프로그램 공통 요소

학습전략 프로그램은 학습자에게 적절한 정보처리 전략을 훈련시킴으로써 효과적인 학습 방법을 배우게 하고, 학습에 능동적으로 참여하게 하여 학습자의 학업성취를 높이는 것을 목적으로 한다. 특히 인지적 전략, 자기규제 전략, 귀인훈련 등의 단일 요인으로 구성된 학습전략 프로그램보다 인지전략, 동기, 자기규제 전략 등을 모두 포괄하는 복합적 학습전략 프로그램이 학업성취에 긍정적인 영향을 미칠 수 있다(황희숙, 1999).

(1) 학습동기와 자아효능감

동기란 인간의 행동을 일으키는 근원적인 힘(Weiner, 2002)으로서 행동을 시작하게 하고 지속시키며 방향 짓게 하는 힘을 말한다(Atkinson & Shiffrin, 1968). 학업동기는 학업의 성취를 위한 동인과 그 충족을 위한 노력 또는 활동의 활성화와 지속의 정도다(김영채, 1992).

자아효능감은 어떤 결과를 이루기 위해 필요한 행동을 조직하고 수행할 수 있는 개인의 능력에 대한 판단이며(Bandura, 1986), 과제수행에 필요한 동기, 인지적 원천, 행동의 방향을 이끌 수 있는 개인의 능력에 대한 판단이다.

최근에 여러 연구자가 학습전략 훈련에서 자아효능감, 성공에 대한 기대 등의 동기 요인의 중요성을 강조하고 있다. 그 이유는 전략에 관한 지식이나 사용 방법을 알고 있어도 자신의 노력이 수행에 미친다는 신념과 기대가 없는 한 전략을 융통성 있게 적용하거나 학습 상황에 일반화시킬 수 없기 때문이다(황희숙, 1999).

국내외 학습전략 프로그램을 개괄한 결과, 여러 프로그램이 학습동기와 학업적 자아효능감 향상을 위한 구성 요소를 포함하고 있음을 알 수 있다. 먼저, 김영진(1998)의 효율적인 학습상담법에서는 학업성취 동기 향상 프로그램을 통하여 자신의 학업성취 동기를 점검하고, 학습동기를 촉진하는 요소와 방해하는 요소를 찾은 후 학습책임 분담표를 작성하게 함으로써 학생의 학습동기/전략 프로그램을 향상시키는 활동을 포함시켰다. 또한 김정진(2003)의 자기 주도적 학습전략훈련에서는 긴장 완화하기, 자기 격려하기, 감정 점검하기 등을 통해 자아효능감을 향상시키고자 한다. 심혜경(2003)은 초등학생을 대상으로 한 자기조절 학습훈련 프로그램에서 학습동기와 학습 태도를 개발하기 위한 학습동기 향상전략을 사용하고 있다. 박태임(1994)은 학습 습관 향상 프로그램 초반에 학습동기 촉발 회기를 운영함으로써 학습 습관을 향상시키는 데 학습동기가 중요한 요소임을 말해 주고 있다.

Weinstein과 Mayer(1986)의 '인지학습 전략(Cognitive Learning Strategies)'에서는 학습과정에 주의를 고취시키고 시험불안을 극복하게 하는 전략 등을 사용함으로써 학습동기 및 자아효능감을 향상시키고자 하였다. Jackson과 Van Zoost(1974)의 Dalhousie 생활연구소 학습프로그램에도 학습동기를 촉진하는 내용이 포함되어 있다. 이 밖에도 많은 국내외 학습전략 프로그램에서 학습동기 및 자아효능감을 향상시키기 위한 활동을 전개하고 있는데, 이를 통해 학습동기와 자아효능감이 학습전략 프로그램의 중요한 구성 요소임을 알 수 있다.

(2) 자원관리전략

자원관리전략은 학습자가 학업을 수행하는 노력을 시작하고 지속할 수 있게 해주는 학습지지적 전략이다(황애경, 2003). 시간 및 학습 환경 관리, 노력 조절, 동료 학습, 도움 요청 등의 자원관리전략 역시 학습전략 프로그램에서 빼놓을 수 없는 중요 요소다. 김영채(1992)의 학습전략 개발 프로그램에서는 시간관리 전략, 정신집중 전략 등을 제공하여 학생의 학습 태도 향상을 도모하고 있다. 김영진(2003)은 초등학생을 대상으로 하는 자기 주도적 학습전략 훈련에서 질문, 요청하기, 협동하기, 타인과 감정이입 등의 활동을 통한 사회적 전략을 포함시켰다. 또한 오원석(2004)은 동료나 교사, 성인에게 사회적 도움을 구하는 회기를 프로그램 후반부에 투입함으로써 학습전략 프로그램에서 자원관리전략을 중요한 요소로 간주하였다.

Zimmerman과 Martinez-Pons(1990)의 자기조절 학습전략에서는 동료, 교사 등 사회적 도움을 강조하였다. Dansereau(1978, 1985)는 학습 환경의 중요성을 고려하였으며, 궁극적으로 외부 환경에 능동적으로 적용할 수 있는 힘을 기르도록 교정 학습을 병행하는 것이 중요함을 강조하고 있다. 이처럼 국내외에서 운영되고 있는 많은 학습전략 프로그램은 시간 및 학습 환경 관리, 노력 조절, 동료 학습, 도움 요청 등의 자원관리전략을 중요한 요소로 생각하고 있음을 볼 수 있다.

(3) 인지 · 초인지 전략

인지 · 초인지 전략이란 학습자가 정보를 처리, 통계, 조절하는 데 관련된 전략으로서 국내외에서 운영되는 학습전략 프로그램의 많은 부분을 차지하고 있다.

김영채(1992)는 학습전략 개발 프로그램에서 구체적이고 다양한 인지 · 초인지 전략을 제시하였다. 단편적인 사실을 기억하는 방법으로 페그워드(Pegword)법 · 장소법 · 의미화기법 등을 제시하였고, 주제문을 이해하는 방법으로 시각적 심상전략 · 질문 생성 전략 · 핵심 아이디어의 발견 전략 등을 제시하였다. 김영진(1998)의 효율적인 학습상담법에서는 독서 능력 향상, 기억력 증진, 노트 작성법 등을 통하여 인지 · 초인지 전략을 향상시키고자 하였다. 구체적으로 살펴보면, 독서 능력 향상 프로그램에서는 시각 전환하기, 개관하기, 질문하기, 읽기와 암송하기 등의 활동을 통해 학생의 인지 · 초인지 전략 능력을 향상시키고자 하였고, 기억력 증진 프로그램에서는 범주화, 낭송하기와 시간간격을 둔 복습, 기억법 등의 활동을 통해 학생의 인지 · 초인지 전략 능력을 향상시키고자 하였다.

Weinstein과 Mayer(1986)의 '인지학습 전략'에서는 암송, 정교화 전략, 조직화 전략, 이해 점검 전략 등을 학습함으로써 학습자의 인지 · 초인지 전략 능력을 향상시키고자 하였다. 텍사스 주 공립학교에서 운영하는 학습기능 프로그램도 조직화 기능, 목표 설정, 노트 정리, 비판적 사고, 문제해결 등 다양한 인지 · 초인지 학습전략으로 구성되어 있다. 그리고 Mangnum(1994)의 '학습방법'도 정보 찾기, 조직화하기, 해석하기, 기억하기, 시험치기 등 다양한 인지 · 초인지 전략으로 구성되어 있다. 이와 같이 국내외에서 활용되고 있는 많은 학습전략 프로그램을 살펴보면 인지 · 초인지 전략이 상당한 비중을 차지하고 있는 중요 구성 요소임을 알 수 있다.

8  학습전략 프로그램의 구성

본 학습전략 프로그램은 크게 두 개의 하위 프로그램으로 구성되어 있다.

첫 번째 프로그램은 일반적 학습기술 프로그램이다. 이는 학습전략을 직접 가르치는 프로그램이다. 즉, 학습동기와 자신감을 길러 주는 동기와 자아효능감 영역과 학업을 증진시키는 데 활용될 학습자원의 관리 영역, 학습전략에서 기본이 되는 인지 전략 영역 및 인지적 이해와 자신의 학습 관련 능력을 전체적으로 조감하는 전략과 관련 있는 초인지 영역의 네 부분으로 구분된다. 구체적인 내용은 〈표 1-15〉~〈표 1-20〉에 제시하고 있다.

〈표 1-15〉 **학습기술 프로그램의 구성**

차시	영역1 (동기와 자아효능감)	영역2 (자원관리전략)	영역3 (인지전략)	영역4 (초인지전략)
1차시	다른 것의 중요성 알아보기	자원관리기술 알아보기	인지퍼즐을 맞춰 볼까요?	초인지 공부 방법 알아보기
2차시	학습장애 알아보기	공부의 지도, 시간관리	예상하기	목표 세우기
3차시	나의 학습기술 진단하기	우선순위 정하기	반복하기	시간관리
4차시	나의 감정 알기	일과표 작성하기	요약하기 1	훑어보기와 질문 만들기
5차시	소중한 나, 해 보려는 나	학습공간관리	요약하기 2	얼마나 이해했을까?
6차시	공부에 대한 감정 알기	친구들과 함께하기 1	표로 나타내기	다시 읽기, 천천히 읽기
7차시	귀인의 의미 알기	친구들과 함께하기 2	이야기 만들기	복습은 중요해!
8차시	나의 귀인 성향 파악하기	학습을 위한 건강관리	질문하기	복습하기 1

9차시	귀인 학습하기	학습을 위한 마음 관리	암기하기	복습하기 2
10차시	나의 성취 경험	공부 습관 만들기	인지기술 총정리	초인지 공부 방법 사용하기

〈표 1-16〉 **동기와 자아효능감**

차시	제목	내용
1차시	다른 것의 중요성 알아보기	학습 실력에서 정도의 차는 틀림이 아닌 다름의 관점임을 살펴본다.
2차시	학습장애 알아보기	학습에서 어려움을 겪어도 자신이 원하는 일에서 성공한 사람들이 많이 있음을 살펴본다.
3차시	나의 학습기술 진단하기	공부에 기술이 왜 필요한지를 살펴본다.
4차시	나의 감정 알기	자신의 감정을 이해하는 것은 자기 자신에 대한 이해를 높이고 자신을 조절하는 연습임을 살펴본다.
5차시	소중한 나, 해 보려는 나	나의 소중함을 알고 자신에게 말할 수 있다. 자신에 대한 존중을 바탕으로 해 보려는 마음을 살펴본다.
6차시	공부에 대한 감정 알기	공부에 대한 감정을 파악하는 것이 공부를 시작함에 앞서 매우 중요함을 살펴본다.
7차시	귀인의 의미 알기	귀인이 무엇인지를 살펴본다.
8차시	나의 귀인 성향 파악하기	공부의 결과 탓을 어디에 두는지를 살펴본다.
9차시	귀인 학습하기	학습과 관련하여 귀인을 두는 연습을 살펴본다.
10차시	나의 성취 경험	나의 성취 경험과 관련하여 성공했던 일은 자신이 열심히 했던 귀인을 살펴본다.

〈표 1-17〉 **자원관리전략**

차시	제목	내용
1차시	자원관리기술 알아보기	공부를 잘하기 위해서 여러 가지 다양한 자원이 필요함을 살펴본다.
2차시	공부의 지도, 시간관리	시간관리란 자기관리 기술의 하나로 효율적으로 일 처리를 할 수 있는 것임을 살펴본다.

3차시	우선순위 정하기	시간관리를 위해 다음으로 필요한 것은 우선순위를 정하는 것이다. 우선순위 정하기를 어떻게 하는지 살펴본다.
4차시	일과표 작성하기	시간관리 전략을 이용하여 일과표를 작성하는 방법을 살펴본다.
5차시	학습공간관리	학습공간의 관리가 왜 중요한지를 살펴본다.
6차시	친구들과 함께하기 1	학습할 때 주변으로부터 적절한 도움을 요청해야 하는 필요성을 살펴본다.
7차시	친구들과 함께하기 2	도움을 요청한 후 상대와 자신의 기분을 살피고, 도움 요청의 기술적인 방법을 살펴본다.
8차시	학습을 위한 건강관리	학업 증진을 위해서 학습을 위한 건강관리의 필요성을 살펴본다.
9차시	학습을 위한 마음관리	학습을 위한 마음관리는 학습에 대한 긍정적인 영향에 필요한 것임을 살펴본다.
10차시	공부 습관 만들기	자신의 주변에 있는 자원을 보다 자연스럽고 유연하게 사용할 수 있는 습관을 살펴본다.

〈표 1-18〉 **인지전략**

차시	제목	내용
1차시	인지퍼즐을 맞춰 볼까요?	학습에 필요한 인지전략의 및 기술의 필요성을 살펴본다.
2차시	예상하기	그림이나 글을 보고 중심 내용과 글의 전개 방향에 대해 예상하기 전략을 살펴본다.
3차시	반복하기	반복하기 전략은 정보를 반복적으로 말함으로써 암기하는 데 도움을 주는 전략임을 살펴본다.
4차시	요약하기 1	글의 핵심어를 찾아서 요약할 수 있는 방법을 살펴본다.
5차시	요약하기 2	글의 내용에서 불필요한 부분을 제외하고 핵심을 추려 보는 전략에 대해 살펴본다.
6차시	표로 나타내기	자신이 배운 내용이나 생각들을 표로 나타내는 방법에 대해 살펴본다.
7차시	이야기 만들기	표로 정리된 내용을 이야기로 만들면 좋은 점을 살펴본다.

8차시	질문하기	질문하기가 왜 필요한지를 살펴본다.
9차시	암기하기	암기하기의 특징에 대해 살펴본다.
10차시	인지기술 총정리	인지기술을 총정리하는 시간을 갖는다.

〈표 1-19〉 **초인지전략**

차시	제목	내용
1차시	초인지 공부 방법 알아보기	초인지의 구체적인 방법에 대해 살펴본다.
2차시	목표 세우기	목표 세우기가 왜 중요한지를 살펴본다.
3차시	시간관리	시간관리에 대해 구체적으로 살펴본다.
4차시	훑어보기와 질문 만들기	본격적으로 읽기에 앞서 훑어보기 활동에 대한 방법에 대해 살펴본다.
5차시	얼마나 이해했을까?	내용을 이해하는 데 질문 혹은 물음의 필요성에 대해 살펴본다.
6차시	다시 읽기, 천천히 읽기	글을 다시 반복해서 읽기의 필요성에 대해 살펴본다.
7차시	복습은 중요해!	공부에 있어 복습의 중요성을 살펴본다.
8차시	복습하기 1	마인드맵이나 다양한 활동을 통해 복습하기를 살펴본다.
9차시	복습하기 2	
10차시	초인지 공부 방법 사용하기	초인지 기술을 다시 살펴본다.

두 번째 프로그램은 교과 학습전략 프로그램으로서 일반적 학습기술을 초등학교 교과(3학년)에 적용한 내용으로 구성되어 있다. 이 영역은 일반적인 학습전략을 학교 현장에서 어떻게 활용할 수 있는지에 대한 자료의 성격을 지니고 있으며, 그 구성 내용은 〈표 1-20〉과 같다.

〈표 1-20〉 **초등교과서 기반 교과 학습전략 프로그램**

과 목	제 목	비 고
읽 기	1차시. 번데기와 달팽이 2차시. 흔들리는 마음	초등(3학년)

	3차시. 들꽃을 지키는 방법 4차시. 콩이 된장으로 변했어요 5차시. 우리는 한편이야 6차시. 모르는 단어	
수 학	1차시. 네 자릿수 + 세 자릿수 1 2차시. 네 자릿수 + 세 자릿수 2 3차시. 네 자릿수 − 세 자릿수 1 4차시. 네 자릿수 − 세 자릿수 2 5차시. 세 수의 덧셈과 뺄셈 1 6차시. 세 수의 덧셈과 뺄셈 2	초등(3학년)
쓰 기	1차시. 문단을 나누어 써요 2차시. 문단의 짜임에 맞게 써요 3차시. 문단의 중심문장을 찾아요 4차시. 중심문장과 뒷받침문장 1 5차시. 문장을 이어서 쓰기 6차시. 중심문장과 뒷받침문장 2	초등(3학년)

참고문헌

강진령, 손현동(2004). 집단상담 프로그램이 학업성취도에 미치는 효과 메타분석. 청소년 상담 연구, 12(1), 81-90.

구진영(2007). 학습부진아에 대한 초등학교 교사의 인식과 지도실제: 현장 교사의 질문조사. 대구대학교 교육대학원 석사학위논문.

김동일(2000). 기초학습기능 수행평가체제(BASA): 읽기검사. 학지사 심리검사연구소.

김동일(2006). 기초학습기능 수행평가체제(BASA): 수학검사. 학지사 심리검사연구소.

김동일(2011). 기초학습기능 수행평가체제(BASA): 초기수학. 학지사 심리검사연구소.

김동일(2011). 기초학습기능 수행평가체제(BASA): 초기문해. 학지사 심리검사연구소.

김동일, 신을진, 이명경, 김형수(2011). 학습상담. 서울: 학지사.

김동일, 신을진, 황애경(2002). 메타분석을 통한 학습전략의 효과연구. 아시아교육연구, 3(2), 71-93.

김동일, 이대식, 신종호(2009). 학습장애아동의 이해와 교육(2판). 서울: 학지사.

김동일, 정광조(2008). 불일치모형과 중재반응모형을 넘어서: 학습장애의 진단을 위한 새로운 통합 모형의 제안을 중심으로. 정서·행동장애연구, 24(1), 133-161.

김아영(2010) 학업동기: 이론, 연구와 적용. 서울: 학지사.

김영진(1998). 효율적인 학습상담법. 서울: 양서원.

김영채(1992). 학습전략 개발을 위한 훈련 프로그램. 한양대학교 대학생활연구, 10, 37-60.

김정진(2003). 자기주도적 학습전략 훈련이 초등영어교육에 미치는 영향: 학습전략 사용빈도, 선호도 및 학습태도 변화. 인천교육대학교 대학원 석사학위논문.

박태임(1994). 학습습관 향상 프로그램이 학습습관, 학습동기 및 학업성취에 미치는 영향. 숙명여자대학교 대학원 석사학위논문.

신을진, 이일화(2010). 학습코칭프로그램이 학습부진아의 학습전략에 미치는 효과. 아시아교육연구, 11(4), 145-165.

신종호(2002). 저성취 학습부진아동을 위한 학습전략 프로그램에 대한 분석적 고찰. 아시아교육연구, 3(1), 63-88.

심혜경(2003). 자기조절학습전략 훈련이 읽기학습부진아의 독해력 향상에 미치는 효과. 대구대학교 특수교육대학원 석사학위논문.
이일화, 홍성두, 김형수, 김동일(2004). 학습장애 학생을 위한 학습 전략의 효과 탐색 및 학교 중심 프로그램 개발. 한국연구재단.
인천광역시교육청, 교육과학기술부(2009). 학습장애학생 학습기술 습득프로그램. 인천: 인천광역시교육청, 교육과학기술부.
조현철(2000). 다면적 · 위계적 모델을 중심으로 본 초 · 중학생들의 자아개념 구조 분석. 아동학회지, 21(2), 99-118.
황매향(2009). 학업상담을 위한 학업 문제 유형분류. 상담학연구, 10(1), 561-581.
황애경(2003) 학교학습에서 인지학습전략효과에 대한 메타분석. 서울대학교 대학원 석사학위논문.
황희숙(1999). 대학생의 학습력 증진을 위한 학습전략 훈련 프로그램의 개발 및 효과분석. 부경대학교 대학생활연구, 10(1), 7-24.

Atkinson, R. C., & Shiffrin, R. M. (1968). Human memory: A proposed system and its control processes. In K. W. Spence & J. T. Spence (Eds.), *The psychology of learning and motivation* (Vol. 2). New York: Academic Press.
Bandura, A. (1986). *Social foundations of thought and action: A social cognitive theory.* Englewood Cliffs, New York: The Guilford Press.
Bradley, R., Danielson, L., & Hallahan, D. P. (2002). *Identification of learning disabilities: Research to practice.* Lawrence Erlbaum Associates, Inc.
Chan, L., Cole, P., & Morris, J. (1990). Effects of instruction in the use of a visual imagery strategy on the reading comprehension competence of disabled and average readers. *Learning Disability Quarterly, 13*(1).
Cloninger, C. R. (1998). The genetic and psychobiology of the seven-factor and model personality. In K. R. Silk (Ed.), *Biology of personality disorders* (pp. 63-92). Washington, DC: American Psychiatry Press.
Deci, E. L., & Ryan, R. M. (2000). The "what" and "why" of goal pursuits: Human needs and the self-determination of behavior. *Psychology inquiry: An international Journal for the Advancement of Psychological Theory, 11*(4), 227-268.
Eccles, J. S., Wigfield, A., & Schiefele, U. (1998). Motivation to succeed. In W. Damon (series Ed.) & N. Eisenberg (vol. Ed.), *Handbook of child psychology* (5th ed., Vol. 111, pp. 1017-1095). New York: Wiley.
Fuchs, D., Fuchs, L. S., Mathes, P. G., Lipsey, M. W., & Roberts, P. H. (2002). Is learning

disabilities just a fancy term for low achievement? A meta-analysis of reading differences between low achievers with and without the label. In.

Hidi, S., & Renninger, K. A. (2006) The four-phase model of interest development. *Educational Psychologist, 41*(2), 111-127.

Jackson, B., & Van Zoost, C. (1974). Self-regulated teaching of others as a means of improving study habits. *Journal of Counseling Psychology, 21*(6), 489-493.

Kavale, K. A., Holdnack, J. A., & Mostert, M. P. (2005). Responsiveness to intervention and the identification of specific learning disability: A critique and alternative proposal. *Learning Disability Quarterly, 28*(1), 2-16.

Krapp, A., Hidi, S., & Renninger, K. A. (1992). Interest, learning and development. In. K. A. Renninger, S. Hidi, & A. Krapp (Eds.), *The role of interest in learning and development* (pp. 3-25). NJ: Hillsdale.

Leshowitz, B., Jenkens, K., Heaton, S., & Bough, T. L. (1993). Fostering critical thinking skills in students with learning disabilities: An instructional program. *Journal of Learning Disabilities, 26*(7), 483-490.

Maier, S. F., & Seligman, M. E. P. (1976). Learned helplessness: Theory and evidence. *Journal Experimental Psychology, 105,* 3-46.

Mangnum, C. T. (1994). *Learning to study series* (Book B/C-Book H). Province, Rhode Island: Jamestown Publisher.

Mckeachie, J. L., Pintrich, P. R., Lin, Y. G., & Smith, D. A. F. (1991). *Teaching and Learning in the college classroom activities: Review of the research literature.* Am Arbor, MI: University of Michigan MCRITAC.

Roseshine, B., & Stevens, R. (1986). Teaching functions. In M. C. Wittrock (Ed.), *Handbook of Research on Teaching* (3rd ed., pp. 376-391). New York: Macmillan.

Ryan, R. M., & Deci, E. L. (2000). Intrinsic and extrinsic motivations: Classic definitions and new directions. *Comtemporary Educational Psychology, 25,* 54-67.

Schunk, D. H. (1991). Self-efficacy academic motivation. *Educational Psychologist, 26,* 207-231.

Scruggs, T. E., & Mastropiert, M. A. (1993). Special education for the twenty-first century: Integrating learning strategies and thinking skills. *Journal of Learning Disabilities, 26*(6), 392-398.

Seligman, M. E. P., & Marier, S. F. (1967). Failure to escape traumatic shock. *Journal of Experimental Psychology, 74,* 1-9.

Short, E. J., & Weissberg-Benchell, J. (1989). The triple alliance for learning: Cognition, metacognition, and motivation. In C. B. McCormick, G. Miller, & M. Pressley (Eds.), *Cognition Strategy Research* (pp. 33–63). New York: Springer-Verlag.

Swanson, H. L. (1990). Instruction derived from the strategy deficit model. Overview of principles and procedure. In T. E. Scruggs & B. Y. L. Wong (Eds.), *Intervention Research in Learning Disabilities* (pp. 34–65). New York: Springer Verlag.

Vaughn, S., & Fuchs, L. S. (2003). Redefining learning disabilities as inadequate response to instruction: The promise and potential problems. *Learning Disabilities Research & Practice, 18*(3), 137–146.

Weiner, B. (1983). Principles for a theory of student motivation and their practice with in an attributional framework. In R. Ames & C. Ames (Eds.), *Student motivation* (Vol. 1). N.Y.: Academic Press.

Weiner, B. (1992). *Human Motivation: Metaphors, Theories, and Research.* SAGE Publications.

Weiner, B. (2000). Intrapersonal and Interpersonal Theories of Motivation from an Attributional Perspective. *Educational Psychology Review, 12,* 1–14.

Weiner, B., Russell, D., & Lerman, D. (1978). Affective consequences of causal ascriptions. In J. H. Harvey, W. J. Ickes, & R. F. Kidd (Eds.), *New directions in attribution research* (Vol. 2, pp. 59–88). Hillsdale. N.J.: Lawrence Erlbaurn Associates Inc.

Weiner, I. B. (2002). How to anticipate ethical and legal challenges in personality assessment. In J. N. Butcher (Ed.), *Clinical personality assessment* (2nd ed., pp. 126–134). New York: Oxford University Press.

Weinstein, C. E., & Mayer, R. E. (1986) The teaching of learning strategies. In M. C. Wittrock (Ed.), *Handbook of research on teaching* (3rd ed., pp. 315–327). New York: Macmillan.

Wong, B. Y. L. (1985). Meta-cognition and learning disabilities. In D. L. Forrest-Pressley, G. E. Mackinnon, & T. G. Waller (Eds.), *Metacognition, cognition, and human performance* (Vol. 2, pp. 137–180). New York: Academic Press.

Zimmerman, B. J., & Martinez-Pons, M. (1988). Construct validation of a strategy model student self-regulated learning. *Journal of Education Psychology, 80*(3), 284–290.

Zimmerman, B. J., & Martines-Pons, M. (1990). Student differences in self-regulated learning: Relating grade, sex, and giftedness to self-efficacy and strategy use. *Journal of Educational Psychology, 52*(1), 51–59.

Zimmerman, B. J., & Martinez-Pons, M. (1992). Perceptions of efficacy and strategy use in the self-regulation of learning. In D. H. Schunk & J. L. Meece (Eds.), *Student perceptions in the classroom* (pp. 185–207). Hillsdale, NJ: Lawrence Erlbaum Associates.

김동일(Kim, Dongil)

현재 서울대학교 사범대학 교육학과 교육상담전공 및 대학원 특수교육전공 주임교수로 재직하고 있다. 서울대학교 교육학과를 졸업하고 교육부 국비유학생으로 도미하여 미네소타대학교 교육심리학과(학습장애)에서 석사 · 박사학위를 취득하였다. Developmental Studies Center, Research Associate, 한국청소년상담원 상담교수, 경인교육대학교 교육학과 교수, 한국학습장애학회 회장, 한국교육심리학회 부회장, (사)한국상담학회 법인이사, 한국청소년상담(복지개발)원 법인이사를 역임하였다. 2002년부터 국가수준의 인터넷중독 척도와 개입연구를 진행해 왔으며, 정보화역기능예방사업에 대한 공로로 행정안전부 장관표창을 수상하였다. 현재, BK21PLUS 미래교육디자인연구사업단 단장, 서울대 다중지능창의성연구센터(SNU MIMC Center) 소장, 서울대 특수교육연구소(SNU SERI) 소장 및 한국아동청소년상담학회 회장, 한국인터넷중독학회 부회장, 여성가족부 청소년보호위원회 위원, (사)한국교육심리학회 법인이사 등으로 봉직하고 있다. 『학습장애아동의 이해와 교육』『학습상담』『학교상담과 생활지도』『학교기반 위기대응개입 매뉴얼』『특수아동상담』을 비롯하여 30여 권의 (공)저서와 200여 편의 학술논문이 있으며, 10개의 표준화 심리검사를 개발하고, 20편의 상담사례 논문을 발표하였다.

BASA-ALSA와 함께하는 학습전략 프로그램 워크북 1

교사용 지침서

2015년 8월 25일 1판 1쇄 인쇄
2015년 9월 1일 1판 1쇄 발행

지은이 • 김동일
펴낸이 • 김진환
펴낸곳 • (주) 학지사
121-838 서울특별시 마포구 양화로 15길 20 마인드월드빌딩
대표전화 • 02)330-5114 팩스 • 02)324-2345
등록번호 • 제313-2006-000265호

홈페이지 • http://www.hakjisa.co.kr
페이스북 • https://www.facebook.com/hakjisa

ISBN 978-89-997-0791-9 94370
978-89-997-0790-2 (set)

정가 8,000원

이 도서의 국립중앙도서관 출판시도서목록(CIP)은 서지정보유통지원시스템 홈페이지(http://seoji.nl.go.kr)와 국가자료공동목록시스템(http://www.nl.go.kr/kolisnet)에서 이용하실 수 있습니다.
(CIP제어번호: CIP2015025969)

BASA | 기초학습기능 수행평가체제란?

Basic Academic Skills Assessment

학습부진 아동이나 특수교육 대상자의 학업수행수준을 진단·평가하는 국내 최초의 검사로 실시가 간편하고 비용부담이 적어 반복실시가 가능하며, 전체 집단 내에서 아동의 학습능력이 어느 정도인지 상대적인 수준 파악이 가능합니다.

아동의 기초학습기능 수행발달수준을 진단하고 학습발달정도를 반복적으로 평가하여 학습수준을 모니터링함으로써 학습부진 영역에 관한 구체적인 정보를 얻을 수 있습니다. 또한 이를 통해 추후 발생할 수 있는 학업문제들을 예방하고 대상자의 수준에 알맞은 교수계획 및 중재계획을 수립할 수 있습니다.

BASA 초기수학

수학학습장애 혹은 학습장애위험군 아동의 조기판별 및 초기수학 준비기술 평가

BASA 초기문해

아동의 초기문해 수행수준과 읽기장애를 조기에 판별하고 아동의 학업관련 성장과 진전도 측정에 유용

BASA 읽기

읽기 부진 아동의 선별, 읽기장애 진단을 위한 읽기유창성검사

BASA 쓰기

쓰기능력 발달과 성장을 측정하고 쓰기부진아동의 진단 및 평가

BASA 수학

수학 학습수준의 발달과 성장을 측정하고 학습부진, 특수교육 아동을 위한 진단 및 평가